GESCHIEDENIS VAN HET HUILEN

literatura latina

LITERATURA LATINA BIJ MEULENHOFF

James Cañón, *Het dorp van de weduwen*
Julio Cortázar, *Rayuela: een hinkelspel*
Carlos Fuentes, *Onrustig gezelschap*
João Guimarães Rosa, *Diepe wildernis: de wegen*
Mayra Montero, *Bolero in de nacht*
Gabriel García Márquez, *Honderd jaar eenzaamheid*
Juan Carlos Onetti, *De werf*
Alan Pauls, *Het verleden*
Juan Rulfo, *Pedro Páramo*
Ernesto Sábato, *De tunnel*
Mario Vargas Llosa, *Het ongrijpbare meisje*

Alan Pauls

Geschiedenis van het huilen

Een getuigenis

ROMAN

Vertaald uit het Spaans door Arie van der Wal

J.M. MEULENHOFF

03. 10. 2008

De vertaler ontving voor deze vertaling een werkbeurs van de Stichting Fonds voor de Letteren.

Oorspronkelijke titel *Historia del llanto*
Copyright © Alan Pauls, 2007
Copyright © Editorial Anagrama, S.A., 2007
Copyright Nederlandse vertaling © 2008 Arie van der Wal
en J.M. Meulenhoff bv, Amsterdam
Vormgeving omslag Studio Marlies Visser
Vormgeving binnenwerk Adriaan de Jonge
Foto voorzijde © Hollandse Hoogte
Foto auteur © Ricardo Labastier

www.literaturalatina.nl
www.meulenhoff.nl
ISBN 978 90 290 8250 1 / NUR 302

OP EEN LEEFTIJD waarop kinderen vertwijfeld hun best doen om te praten, kan híj urenlang luisteren. Hij is vier jaar oud, of dat hebben ze hem tenminste verteld. Tot verbijstering van zijn grootouders en zijn moeder – bijeen in de woonkamer aan de calle Ortega y Gasset, het driekamerappartement dat zijn vader, voor zover hij zich kan herinneren zonder enige verklaring, acht maanden daarvoor heeft verlaten met medeneming van zijn tabaksgeur, zijn zakhorloge en zijn verzameling overhemden met het monogram van overhemden-winkel Castrillón, en waar hij nu, vast en zeker niet zo stipt als zijn moeder graag zou willen, bijna elke zaterdagmorgen naar terugkeert om op de knop van de intercom te drukken en, ongeacht wie hem te woord staat, op die gespannen toon die hij later leert herkennen als de graadmeter voor zijn relatie met vrouwen nadat hij kinderen bij ze heeft verwekt, te vragen of hij eindelijk eens naar beneden kan ko-men! – rent hij in volle vaart door de kamer, in zijn net nieuwe aan-doenlijke Supermanpak, met zijn armen naar voren gestrekt, in een onhandige poging tot nabootsing van een glijvlucht, een eend met een gespalkte poot, een mummie of een slaapwandelaar, en loopt dwars door de ruit van de balkondeur. Een seconde later komt hij weer tot zichzelf als na een flauwte. Hij staat midden tussen de glas-scherven en de bloempotten, hoogstens een beetje verhit en bevend, en kijkt naar zijn handpalmen waar, alsof ze zijn getekend, drie dun-ne straaltjes bloed langs lopen.

Wat hem heeft gered is niet het ijzeren gestel van de superheld die hij probeert te evenaren, zoals je op het eerste gezicht zou kunnen denken en zoals de verhalen die de heldendaad levend moeten houden later steeds weer zullen benadrukken, overigens de opvallendste, zo niet enige heldendaad uit een kindertijd die er vanaf het begin op is gericht geen aandacht te trekken en die hij liever in zijn eentje doorbrengt, met lezen, tekenen of kijken naar de dan nog prille televisie, dingen die erop wijzen dat wat gewoonlijk binnenwereld wordt genoemd en ogenschijnlijk eerder kenmerkend is voor nogal zonderlinge peuters, bij hem aanzienlijk beter is ontwikkeld dan bij de meeste kinderen van zijn leeftijd. Wat hem heeft gered is zijn eigen gevoeligheid, denkt hij, hoewel hij die verklaring voor zichzelf houdt, alsof hij bang is dat hij anders, behalve de officiële versie tegenspreken, wat hem volkomen koud laat, ook het magische effect teniet zou kunnen doen dat hij beoogt te verklaren. Die gevoeligheid wordt door hem nog niet gezien als een voorrecht, zoals zijn familie en met name zijn vader menen, laat staan als iets waar hij zelf het meeste profijt van kan trekken, maar hoogstens als een aangeboren eigenschap, in elk geval even abnormaal en in zijn ogen even natuurlijk als zijn vermogen om met beide handen te tekenen, een herhaaldelijk door zijn vader, moeder en familie toegejuicht talent dat verder door niets wordt ondersteund en al snel verloren gaat. Want het zijn niet de heldendaden van Superman, altijd een absolute held, een monument, in wiens avonturen hij zich zo verdiept dat hij, alsof hij bijziend is, de bladzijden van de stripbladen praktisch tegen zijn ogen gedrukt houdt, al is dat niet zozeer om te lezen, want dat kan hij nog niet, als wel om zich te laten benevelen door kleuren en vormen, nee, het zijn niet de heldendaden die hem versteld doen staan, maar de momenten waarop de superheld faalt, uiterst zeldzame momenten, dat is waar, en daarom misschien nog wel indrukwekkender dan wanneer hij, met de volledige controle over zijn superkrachten, bijvoorbeeld in de lucht een rotsblok onderschept dat iemand op een rij bergbeklimmers laat vallen, of binnen een paar seconden een dijk bouwt om een verwoestende waterstroom tegen te houden, of met een duikvlucht de wieg met de baby redt die door een onbestuurbare verhuiswagen dreigt te worden verpletterd.

Hij onderscheidt twee soorten zwakte. De eerste, die hij wel kan waarderen maar alleen tot op zekere hoogte, komt voort uit een moreel dilemma. Superman moet kiezen tussen twee kwaden: de tornado stoppen die een hele stad dreigt te centrifugeren óf voorkomen dat een blinde bedelaar struikelt en in een greppel valt. De onevenredige verhouding tussen beide gevaren, voor iedereen overduidelijk, is voor Superman irrelevant, en vanuit moreel oogpunt zelfs verwerpelijk, en juist om die reden, omdat hij ze hardnekkig dezelfde waarde toekent, verzwakt zijn positie en is hij kwetsbaarder dan ooit voor vijandelijke aanvallen. De andere daarentegen is een van oorsprong organische zwakte, de enige trouwens die hem, de vierjarige, dwingt te denken aan het bij uitstek ondenkbare, namelijk de mogelijkheid dat de man van staal doodgaat. Om dit te laten gebeuren is het absoluut noodzakelijk dat er sprake is van de tussenkomst van een van de twee zogenaamde stenen van het kwaad, het rode kryptoniet, dat hem verzwakt maar niet doodt, of het groene, het enige dat in staat is hem te vernietigen, beide afkomstig van zijn geboorteplaneet om hem te herinneren aan de kwetsbaarheid die de mensenwereld, misschien minder veeleisend, hem wil doen vergeten. Als hij iets onweerstaanbaar vindt, is het wel het moment waarop de man van staal wordt blootgesteld aan de schadelijke mineralen, een duizeling voelt, met zijn ogen begint te knipperen en, gedwongen onmiddellijk op te houden met waar hij mee bezig is, eerst met zijn ene knie en daarna met de andere op de grond steunt, terwijl zijn schouders door een ondraaglijk gewicht naar beneden worden gedrukt en hij ten slotte zijn blauw-met-rode lichaam als een stervende voortsleept. Het is die aanblik die, alsof het dodelijke effect van de steen tot buiten de bladzijde doordringt, ook hem verwondt, midden in zijn nooit eerder zo treffend solaris genoemde plexus, in het hart van zijn hart, met een kracht en een intensiteit waar geen enkele heldendaad, hoe buitengewoon ook, zich ooit op zal kunnen beroemen.

Als er iets echt uitzonderlijk is, dan is het wel pijn. Er is maar één ding op de wereld dat die kan veroorzaken, en het is dát wat hij, veel meer dan alle loffelijke daden waar Superman om wordt vereerd, al snel begint te vrezen, waar hij, met het hart bonzend in zijn keel, elke keer als hij terugkomt van de kiosk naar uitkijkt en onder het lopen, op het gevaar af ergens tegenop te botsen, zoals hem meer dan eens is overkomen, het pas gekochte stripblad openslaat en zich verdiept in de lectuur. [...] Pijn is het uitzonderlijke, en daarom is die niet te verdragen. Hij verdeelt de verschillende afleveringen van de strip in twee onvergelijkbare klassen, de afleveringen waar de noodlottige stenen in voorkomen en die waarin ze niet voorkomen. De laatste keurt hij geen blik waardig en stopt hij weg in de onderste la van zijn kast, waar ook de stripbladen, het speelgoed en de boeken liggen te verstoffen die hij met het ouder worden achter zich heeft gelaten en die hij nu afschuwelijk vindt en die hij later, wanneer hij het gevoel heeft inmiddels buiten hun invloedssfeer te verkeren, verrukt en vol bewondering weer opgraaft als getuigenissen van de naïeve domkop die hij niet langer is en die hem nu alleen nog maar vertedert. Als ze hem zouden vragen wat er zoveel indruk op hem maakt, wat hij precies voelt als hij de lichtgevende halo van de stenen het lichaam van de man van staal ziet naderen en hem heel even rood of groen ziet kleuren, en waarom hij zo huivert als Superman, krachteloos alsof hij doodbloedt, op de grond ligt en er weliswaar precies zo uitziet als eerst, toen hij de zwaartekracht overwon en sneller vloog dan het licht en niets ter wereld hem kon deren, maar toch verzwakt, volledig overgeleverd aan de genade van zijn vijanden, dan zou hij niet weten wat hij moest zeggen. Hij heeft er geen woorden voor. Hij is nu eenmaal geen prater.

Wat hij weet is dat het verschijnsel veel lijkt op het toenemende gloeien van zijn vingertoppen als zijn vader hem 's zondags, tegen het vallen van de avond, afzet voor de deur van de calle Ortega y Gasset nadat ze de hele dag samen hebben doorgebracht in Embrujo, Sunset, New Olivos of een van de andere openluchtzwembaden die zodra de eerste warme dagen zich aandienen, halverwege oktober, of op z'n laatst begin november, zijn weekenduitstapjes in beslag nemen. Ze komen er tegen een uur of elf, halftwaalf 's morgens aan, wanneer de weinige mensen die er dan al zijn – meestal vrouwen alleen, van dezelfde leeftijd als zijn vader, zo gebruind dat hij zou durven wedden dat ze in een eeuwigdurende zomer leven, een soort parallelle tropische staat waarvan het zwembad vermoedelijk de hoofdstad is, en een paar mannen, eveneens alleen, eveneens in zwemkleding, hun gezicht afgeschermd door zonnebrillen die ze alleen afzetten om kortstondig de paarse wallen te laten zien die de voorafgaande zaterdagavond onder hun ogen zijn ontstaan, en om hun oogleden in te smeren met crèmes, lotions of oliën, waarvan hij, tot op de dag van vandaag, niet zeker weet of ze nu bescherming bieden tegen verbranding of die juist veroorzaken – nog niet de beste plekken op het terras, op het gazon, aan de bar of in de opklapbare ligstoelen hebben ingenomen.

Bij aankomst altijd dezelfde trots: hij heeft het gevoel dat er in het hele zwembad niemand jonger is dan zijn vader. Maar dat heeft niet zozeer te maken met leeftijd, want wat dat betreft zou hij, gegeven zijn eigen leeftijd, de eerste zijn om zich incompetent te verklaren, als wel met het masker van morsigheid dat het slaapgebrek, de verwoestende werking van alcohol en tabak en de seksuele uitspattingen op het gezicht van de anderen heeft achtergelaten, ze daarmee het heimelijke air van verwanten bezorgend dat alleen de leden van eenzelfde verdorven ras delen. Zodra ze er zijn, verzekert zijn vader zich van een plaats op het grasveld door zijn handdoek als een grensafbakening uit te spreiden, steeds rekening houdend met de windrichting, zodat er geen ongewenste vouwen of plooien in komen, en loopt naar de kleedhokjes om zich om te kleden. Hij, die zijn zwembroek

9

altijd al aanheeft onder zijn lange broek, een gewoonte die hij al snel, uit eigen beweging, heeft aangenomen en waar hij koste wat het kost aan vasthoudt, ondanks het ongerief dat van de taxirit van het gebouw aan de calle Ortega y Gasset naar het zwembad een ware lijdensweg maakt, trekt zijn kleren uit, terwijl hij uitdagend allebei zijn hakken stevig op de handdoek plant, een handeling waarmee hij nogmaals het territorium afbakent waar hij de hele rest van de dag omheen zal blijven draaien, en rent meteen, alsof hij iets moet doen om niet te worden verstikt door het gevoel van trots over de jeugdigheid van zijn vader, naar het zwembad en duikt in het water. Hij weet nooit of het water koud is of dat het, net als hij, net als de dag of zelfs de zomer, die zich in feite nog maar net heeft aangekondigd, gewoon nog te jong is, maar hij duikt erin en gaat in allerijl op zoek naar de bodem, wild bewegend met zijn armen en benen om niet te verkleumen, raakt met zijn vingers de bek van de op de tegels geschilderde octopus en zwemt door naar de overkant van het zwembad, waar hij een paar seconden later weer bovenkomt, met zijn haar plat op zijn hoofd geplakt, dichtgeknepen ogen en longen die op het punt staan te barsten.

Het kan zijn dat hij het op dat moment niet in de gaten heeft, maar als hij na op de rand van het zwembad te zijn geklommen een blik zou werpen op de vingertoppen waarmee hij de bek van de octopus heeft aangeraakt, dan zou hij al de verticale groefjes herkennen die later, door het schuren tijdens een steeds weer identieke routine van activiteiten – ruwe duikplank, sprong in het water, expeditie naar het keelgat van de octopus, uitrusten op de oneffen rand van het zwembad, zoeken naar de muntjes, de sleutelhangers en zelfs de waterdichte polshorloges die zijn vader achtereenvolgens in het water gooit om hem te trainen in de kunst van het duiken, et cetera –, veranderen in zachte roze plekjes die hij schuursponsjes noemt, en nog later, verergerd door de langdurige inwerking van het water, helemaal rood kleuren, zonder duidelijke omlijning, waardoor hij voor de zoveelste keer het gevoel heeft dat zijn vingers in brand staan, dat hij in plaats van vingers lucifers van vlees heeft. Na zes of zeven uur in het zwembad is de huid zo dun geworden dat die wel doorzichtig lijkt, zelfs zo erg dat als hij in het licht van de vallende avond naar zijn vingers kijkt, hij maar moeilijk kan beslissen of het felle rood dat hij ziet de kleur is van het bloed dat in zijn vingertoppen bruist of alleen maar het effect van de zonnestralen die het vuriger doen lijken, doordat ze zonder enige weerstand door het verzwakte membraan heen schijnen. Datzelfde gloeien, datzelfde dunner worden van het membraan dat binnen en buiten van elkaar zou moeten scheiden, heeft hij als Superman op de bladzijden van het pas gekochte stripblad langzaam bezwijkt onder de misdadige gloed van de kwaadaardige stenen. [...] De schade treedt niet onmiddellijk op. Het gaat geleidelijk. Wat hij herkent als gloeien in de reeks van de huid en het zwembad is niets anders dan de manier waarop in hem de doodsstrijd van de man van staal weerklinkt zoals die wordt weergegeven in de opeenvolging van vierkantjes. De superheld is zo dichtbij, de vervaging van de grens die hen zou moeten scheiden zo abrupt dat hij zou zweren dat de mengeling van gloeien, kwetsbaarheid en beklemming die hij voelt samenballen in het middelpunt van zijn plexus, rechtstreeks afkomstig is van de schittering van het in het stripblad getekende kryptoniet. Hij gaat zelfs een keer zo ver dat hij het nachtlampje in zijn kamer uitknipt om te zien of de kwaadaardige stenen ook in het donker blijven fonkelen.

Pijn is zijn scholing en zijn geloof. Pijn maakt hem tot een gelovige. Hij gelooft alleen of vooral in dat wat lijdt. Hij gelooft in Superman, van wie het trouwens duidelijk is dat hij niet gelooft, ongeacht het tegenbewijs van zijn arme, in een superheldpak gestoken vierjarige lijfje dat in de woonkamer aan de calle Ortega y Gasset dwars door de ruit van de balkondeur rent. Hij gelooft als hij hem ineen ziet krimpen onder invloed van de stenen, als hij hem met zijn knie op de grond naar adem ziet happen, buiten gevecht gesteld en gekleineerd,

11

hij, altijd zo reusachtig, overgeleverd aan zijn aartsvijanden. In geluk daarentegen, net als in de handlangers van het geluk, vindt hij niets anders dan gekunsteldheid; niet direct bedrog of veinzerij, maar het product van een handwerker, het min of meer moeizame resultaat van wilskracht, dat hij kan begrijpen en waarderen en soms zelfs deelt, maar dat om een of andere reden, vervormd als het is door zijn oorsprong, altijd een afstand lijkt te scheppen, waarschijnlijk dezelfde afstand die hem scheidt van elk boek, elke film of elk lied waarin geluk wordt verwoord of afgebeeld. [...] Geluk is bij uitstek onwaarschijnlijk. Niet dat hij er niets mee kan. In zekere zin eerder het tegendeel, zoals uiteindelijk ook bewezen wordt door hemzelf, het beroep dat hij uitoefent, zijn hele leven. Maar alles wat hij met het Geluk doet, zoals later ook met het Goede in het algemeen, wordt overschaduwd door wantrouwen – en onder het Goede verstaat hij grosso modo het scala aan positieve gevoelens dat anderen gewoonlijk menselijke goedheid noemen, van wie de beroemdste, voor zover hij weet, de cineast Akira Kurosawa is, wiens films hij allemaal heeft gezien en bewondert, met één uitzondering, de film die uitgerekend is uitgebracht onder de titel *Menselijke Goedheid*. Die titel alleen al, en het maakt weinig uit dat hij best weet dat die niet is ontsproten aan het brein van Kurosawa maar aan dat van de plaatselijke distributeur, is genoeg om hem verre te houden van de bioscopen waar de film draait, waarmee hij niet alleen ingaat tegen de publieke opinie, altijd gevoelig voor de chantage van een verbintenis tussen goedheid en menselijkheid, maar ook tegen de geestdriftige bewondering van zijn vader, die aanvankelijk, ongewild de woorden citerend van dezelfde critici die hij zeven dagen per week vanwege hun onbekwaamheid veroordeelt tot eeuwig branden in de hel, niet schroomt het als 'de belangrijkste film' uit het oeuvre van Kurosawa te beschouwen en verontwaardigd protesteert tegen de terughoudendheid van zijn zoon, maar die een paar jaar later, als de kern van het conflict, hoewel niet de vorm, al geschiedenis is, zijn oude verontwaardiging weer tot leven wekt in een grootse, steeds terugkerende humoristische scène, overigens het soort humor waar hij het meest van houdt. De running gag, die al snel klassiek wordt, bestaat er in feite uit dat zijn vader hem elke donderdag, de dag waarop in Buenos Aires de films in première gaan, opbelt en nog voordat hij ook maar iets heeft kunnen zeggen, zelfs nog voordat hij hem begroet heeft, recht op de man af vraagt: 'En? Heb je eindelijk *Menselijke Goedheid* gezien?' En dat elke donderdag van elke week, totdat hij meerderjarig wordt en hij de daaropvolgende donderdag, na advies te hebben ingewonnen bij een bekende met enige ervaring op juridisch gebied, de telefoon opneemt en de stem van zijn vader vermoedt zonder die te hoeven horen, en nog voordat deze de geijkte vraag kan uitspreken, of hij nu eindelijk et cetera, dreigt hem gevangen te laten zetten wegens herhaald psychologisch misbruik. [...] In alles is altijd de wil aanwezig, bijna de obsessie, die hij met een verbazingwekkende helderheid en verbetenheid in praktijk brengt, om zijn vermoeden bevestigd te zien dat alle geluk ontstaat rond een kern van ondraaglijke pijn, een wond die het geluk misschien kan doen vergeten, overschaduwen of zozeer verfraaien dat die onherkenbaar wordt, maar nooit zal kunnen uitwissen, tenminste niet voor de ogen van mensen zoals hij, die zich niet laten bedriegen en maar al te goed weten uit welke bloedende ondergrond die schoonheid voortkomt. En zijn taak, die hij zich niet herinnert te hebben gekozen maar die hij al heel snel als een missie op zich neemt, is het opruimen van het gebladerte dat de duistere wond aan het oog onttrekt en die zo aan het licht brengen, op alle mogelijke manieren voorkomen dat iemand, waar dan ook, in de voor hem ergst denkbare val trapt door te geloven dat geluk datgene is wat zich verzet tegen pijn en zich de luxe kan permitteren pijn te negeren of zonder pijn te leven. Dus als zijn vader tegen een vriend zwijmelt over zijn befaamde gevoeligheid, en hoe meer hij daarbij in vervoering lijkt te raken, hoe meer hij de veroorzaker ervan terneerdrukt en deprimeert, zou hij er misschien beter aan doen hem alles te vertellen en te praten over waar het werkelijk om gaat, namelijk een gevoeligheid die alleen oog heeft voor pijn en onherroepelijk volkomen blind is voor alles wat geen pijn is.

Uiterst bescheiden als hij is, zitten zijn gekloofde vingertoppen voor hem al snel net zo vol geheimen als de nachtelijke hemel voor een sterrenkundige, maar de interesse en de concentratie waarmee hij die nietige huidkaart bestudeert verdwijnen op slag, onomkeerbaar, zodra hem iets uit de wereld bereikt met een glimlach op de lippen, zodra het teken van een of andere vorm van geluk, het maakt niet uit of het zwak of juist overduidelijk is, een beroep lijkt te doen op zijn medeplichtigheid of om zijn aandacht vraagt. Het enige wat hij in zo'n geval weet te doen, en dat doet hij zonder erbij na te denken, automatisch, gehoorzamend aan een of andere verborgen programmatuur, is zich gedragen als een geoefende consument, voortdurend op zijn hoede om de list op te sporen die tot doel heeft hem om de tuin te leiden: in de aanval gaan, de glimlachende sluier openscheuren waarmee het geluk zich aan hem voordoet en het donkere stolsel van pijn ontdekken dat daarachter schuilgaat en waarmee volgens hem, en dat is misschien wel een van de dingen die hem het meest irriteren, dat soort van nooit openlijk toegegeven parasitisme zich onophoudelijk voedt. Dat wil zeggen, als hij er al toe komt iets te doen. Want meestal is het gevoel van onbehagen zo groot, de moedeloosheid die hem bevangt zo overweldigend, dat hij zijn armen langs zijn lichaam laat vallen en wegkijkt om het maar niet te hoeven zien.

[...] Hij wantrouwt geluk, zoals trouwens elke emotie die maakt dat degene die de emotie ondergaat niets meer nodig heeft. Om een of andere reden voelt hij zich dicht bij de pijn, of heeft hij al heel vroeg de diepe relatie gevoeld tussen nabijheid, van welke aard dan ook, en pijn: het kritieke van het moment waarop de afstand tussen twee dingen plotseling kleiner wordt, de lucht verdwijnt, de tussenruimtes oplossen. Daar schittert hij, schittert hij als geen ander, daar vindt hij een plaats. Als hij zou kunnen, zou hij tegenover het Gelukkige en het Goede het Nabije stellen. Zelfs nog voordat hij dit heeft ervaren door, bijna tot blind wordens toe, zijn ogen vlak bij de bladzijden van het stripverhaal te brengen, nog voordat hij heeft gezien hoe de huid van zijn vingertoppen steeds gladder en dunner wordt, is het Nabije voor hem al een beeld op de voorgrond – of hij dat heeft van film of televisie weet hij niet – waarin een mond iets fluistert, of beter gezegd uitgiet, wat hij niet kan horen en waarvan hij niet eens met zekerheid zou kunnen zeggen of het wel geluid maakt, in de spiraalvormige holte van een oor, een beetje zoals hij later in een Elizabethaanse tragedie leest hoe de echt dodelijke giffen worden uitgegoten, niet in de maag of in het bloed, maar in het oor. Dat is wat er gebeurt, de verschillen even daargelaten, met de spotprent van Norman Rockwell die hij op een keer in handen krijgt in het huis van zijn grootouders, ongetwijfeld de minst logische plek voor een dergelijke vondst, hoewel hij daar ook, achter slot en grendel opgeborgen in de kast met bordspelen, stuit op de twee stapels pokerkaarten met foto's van naakte vrouwen uit de jaren vijftig, de eerste inspiratiebron voor het botvieren van zijn lusten. Op de spotprent fluistert een vrouw een roddel in het oor van een vriendin, de vriendin vertelt die op haar beurt aan een andere vriendin, deze vriendin weer aan een andere vriendin, en die weer aan nog een andere, enzovoort – in totaal een zestal roddelende vriendinnen op een rij en vijf rijen onder elkaar –, totdat een laatste vriendin de roddel vertelt aan een man, de eerste en enige op de hele pagina, die een verontwaardigd gezicht trekt en in een vlaag van woede zijn echtgenote terechtwijst, die niemand minder is dan de eerste vrouw van de reeks, degene die de lont in het kruitvat stak. In die gag, die een mysterieuze aantrekkingskracht op hem blijft uitoefenen, ontdekt hij de zichtbare belichaming, zij het afgezwakt door het komische karakter en de karikaturale strekking van de tekening, van de auriculaire vergiftigingsscène.

Maar wat is hij? De mond of het oor? De lippen die de dodelijke woorden fluisteren of de holte die ze opvangt? Al op zijn vijfde, zesde is hij de vertrouwenspersoon. In tegenstelling tot muzikale wonder-kinderen die een absoluut gehoor hebben, ís hij het absolute gehoor. Hij is buitengewoon getraind. God mag weten hoe het precies gaat, hoe het circuit in elkaar zit, of het zo is dat híj het benodigde talent bezit om te ontdekken wie er zo vurig wil biechten en die persoon dan zijn oor leent, of dat het de anderen zijn, de wanhopigen, dege-nen die zich opvreten of ontploffen als ze niet praten, die in hem het oor herkennen dat ze zo node missen en zich als schipbreukelingen op hem storten. Het is in elk geval duidelijk dat als er iets is wat zijn vader in hem bewondert en wat hij niet alleen regelmatig bespreekt met zijn vrienden, tijdens die gespreksrondes van vaders waarbij de generatie van zíjn vader, van nature weinig geneigd om op een agen-da gevuld met vrouwen, ex-vrouwen, geld, sport, politiek en show-nieuws, ook nog eens het punt 'kinderen' te plaatsen – overigens de levende nasleep van een concessie aan de vrouwen waar ze de rest van hun leven spijt van hebben –, zich er slechts toe verlaagt melding van hen te maken als dit gerechtvaardigd wordt door een of andere positieve eigenaardigheid, maar waar hij ook met hém over praat, op zo'n pijnlijk moment van intimiteit en openhartigheid dat grenst aan obsceniteit, kortom, als er iets is wat zijn vader plezier doet, is het uitgerekend die roeping om te luisteren, waarbij hij elke keer dat hij die ophemelt de nadruk legt op dezelfde dingen: zijn gave van de alomtegenwoordigheid, die maakt dat hij voortdurend voor ieder-een ter beschikking lijkt te staan, zijn schijnbaar grenzeloze geduld, de aandacht die hij schenkt, waarbij hem geen detail ontgaat, en zijn vermogen tot begrip, dat zijn vader definieert als iets volstrekt ab-normaals, op zich al ongewoon bij een jochie van een jaar of vijf, zes, maar onvoorstelbaar bij vijfennegentig procent van de volwassenen die hij in zijn leven heeft leren kennen.

In zijn aanwezigheid beginnen volwassenen, bijna als het resultaat van een chemische reactie, waarbij het beeld pas zichtbaar wordt op het papier als het in aanraking komt met het geschikte zuur, spontaan te praten. Hij heeft niet de indruk dat hij iets bijzonders doet: het is niet zo dat hij een vraag stelt, een vragende blik werpt of interesse toont, mogelijk opgeschrikt door het rusteloze gebaar, de sombere uitdrukking of het opwellen van tranen waarmee de ander de lijdensweg verraadt die hij doormaakt. Het gebeurt gewoon. Hij zit op de grond te tekenen of met zijn autootjes te spelen, een van die Corgi Toys waar hij zo dol op is en die hij, vooral als ze scharnierende portieren hebben die hij open kan doen om het lompe poppetje van de bestuurder te vervangen door een ander, voor niets ter wereld zou willen ruilen, en ineens komt er iemand naar hem toe, een volwassene, wiens enorme schaduw hij eerst boven de kronkelende snelweg ziet zweven die hij op het tapijt heeft gefantaseerd en daarna als een dreigende onweerswolk de hemel ziet bedekken. Er volgt een ongemakkelijke, onzekere inleiding. De volwassene voelt de behoefte naar zijn niveau af te dalen, gaat op zijn knieën bij hem zitten en steelt zelfs – met een brutaliteit die de volwassene zelf ongetwijfeld vurig zou verdedigen door die toe te schrijven aan het impulsieve van zijn verdriet, maar die voor hém ronduit onaanvaardbaar is – een autootje, meestal zijn lievelingsautootje, dat hij, misschien om bij hem in het gevlij te komen, misschien om enige zin te geven aan een wederrechtelijke inbezitneming die niet grievender kan zijn, plotseling met een erbarmelijk gebrek aan overtuiging laat slippen op een deel van het tapijt het dichtst bij zijn voeten, waar, zoals voor iedereen duidelijk is behalve voor de volwassene, daarvoor gaat hij te veel op in zijn innerlijke drama, de denkbeeldige snelweg niet loopt en ook nooit zal lopen.

Op die manier, alsof ze elkaar afwisselen om hem niet te zeer te belasten, zijn achtereenvolgens zijn moeder, zijn grootmoeder, zijn grootvader en zelfs het dienstmeisje dat een aantal uren in hun huis werkt, bij hem langsgeweest. Zijn moeder heeft hem opgebiecht dat ze zich op haar vijfentwintigste – na door die smeerlap van een vader van hem, die ervandoor is gegaan, te zijn veroordeeld tot het wonen tussen de vier muren van dat middenklasse appartement, opnieuw overgeleverd aan de genade van haar vader en moeder, voor wie het verdriet hun enige dochter weer alleen te zien, en nog wel met de verantwoordelijkheid voor een kind, niets, absoluut niets is vergeleken met de triomfantelijke euforie die veroorzaakt wordt door het feit dat ze bij hen terug is en weer onder hun invloed staat, wat vooral een bevestiging is van hoezeer ze gelijk hadden, alle gelijk van de wereld, toen ze haar vier jaar eerder, vlak voor een overhaast gesloten huwelijk, hadden voorspeld dat, hoe hevig ook, 'de geilheid niet zou blijven duren' en dat ze binnen twee of drie, hoogstens vier jaar berooid en zonder ook maar ergens recht op te hebben bij hen terug zou komen – oud, versleten, leeg, in één woord 'dood' voelt, een levende dode, dat is de uitdrukking waarmee hij haar een paar jaar later inderdaad voor zichzelf beschrijft, telkens wanneer hij halverwege de ochtend langs haar slaapkamer loopt en haar in ochtendjas tussen de kussens op bed ziet liggen, volkomen roerloos, haar gezicht ingesmeerd met crème, haar ogen bedekt met vochtige wattenschijfjes en op het nachtkastje twee of drie flesjes pillen, zich overgevend aan de meest uiteenlopende behandelingen van een legertje hulpvaardige vrouwen die ze schoonheidsspecialiste noemt, of masseuse, manicure, fysiotherapeute of acupuncturiste, dat is niet echt belangrijk, maar van wie hij weet dat het gewoon professionele reanimistes zijn, vrouwen die, net als brandweermannen of badmeesters, zijn gespecialiseerd in het weer tot leven wekken, hoe armoedig overigens dat leven ook is, van mensen die al met één been in het graf staan.

Zijn grootmoeder, die in het openbaar, wat feitelijk zoveel wil zeggen als in het bijzijn van haar man, haar mond alleen opendoet om ja en amen te zeggen – en dan ook nog uitsluitend als haar man het woord tot haar richt –, te lachen om de luidruchtige grappen in de komische programma's die ze op televisie ziet of grote happen te nemen van het eten dat ze eerst op haar bord in steeds kleinere stukjes snijdt, bekent hem op een middag dat haar man kortgeleden het in een sok verstopte geld heeft ontdekt dat zij vier jaar lang dag na dag heeft gespaard door zonder dat hij het merkte minieme bedragen van het uiterst bescheiden huishoudgeld achter te houden dat hij zich verwaardigt haar te geven voor de dagelijkse uitgaven, geld dat ze wilde gebruiken voor het ontharingsapparaat dat een eind zou maken aan de haargroei op haar gezicht, waarvoor ze zich hoelang al? dertig jaar? schaamt, terwijl hij, dat spreekt voor zich, niet wil en ook nooit heeft gewild dat ze het weghaalt, omdat hij weet dat hoewel hij die haren ook niet fraai vindt, zo vroegtijdig oud en mannelijk maken ze haar, hun functie hoe dan ook van vitaal belang is, misschien wel het belangrijkste van allemaal, namelijk voorkomen dat ze begeerlijk zou kunnen zijn voor iemand anders dan hij, die haar trouwens al jaren niet meer begeert en die toen hij het had ontdekt en haar had gedwongen daar ter plekke, zogezegd op de plaats van de misdaad, voor hem te verschijnen, een voor een de geldstukken en bankbiljetten heeft geteld, en na het exacte bedrag te hebben berekend dat ze volgens hem had gestolen, en na, zelfs onder bedreiging van lichamelijk geweld, de bestemming die ze voor het geld in gedachten had te hebben losgekregen, haar heeft gedwongen alles, tot op de laatste cent, in de zwarte muil van de verbrandingsoven te gooien.

Zijn grootvader, die hem dan al, als hij nog maar vier, vijf jaar oud is, op zijn onsterfelijke manier begroet door een grote haarlok op zijn kruin vast te pakken en eraan te trekken terwijl hij in zijn oor fluistert: 'Wanneer ga je eindelijk dat meisjeshaar laten knippen, vertel me dat eens, mietje?', verrast hem op een dag als hij op een paar vellen Canson-tekenpapier zo groot als lakens zijn vroegrijpe stripverhalen zit te tekenen, gaat tegenover hem aan de lage tafel in de woonkamer zitten, vouwt zijn handen, waar hij in de loop van de twintig minuten die volgen strak naar blijft kijken, en vertelt zonder eromheen te draaien dat hij als het aan hem lag, alles zou verkopen, de fabriek die hij, helemaal alleen, van de grond af heeft opgebouwd, tegen het ongeloof en zelfs het sarcasme van zijn eigen vader in, een immigrant en spoorwegarbeider, en die hem nu in staat stelt, behalve dat hij een vijftigtal werknemers te eten geeft, te genieten van een levensstijl die die sarcast van een vader van hem alleen voor mogelijk zou hebben gehouden voor mensen die geboren zijn met een zilveren lepel in de mond en gesteund worden door eeuwen en eeuwen van rijkdom, maar dan ook echt alles, het meer dan ruime appartement waar hij met zijn vrouw woont en het appartement dat hij ter beschikking heeft gesteld aan zijn van het rechte pad afgedwaalde dochter – tegen zijn wil overigens, want hij zou liever zien dat ze haar lesje geleerd heeft, dat wil zeggen, dat ze helemaal opnieuw begint, en dit keer echt alleen –, het appartement in het centrum van Mar del Plata, de stukken land in de bergen bij Alta Gracia en Ascochinga, het huisje in Fortín Tiburcio, de drie auto's… het liefst zou hij dat alles verkopen en van de ene dag op de andere van de kaart verdwijnen, zonder sporen na te laten, en eindelijk een leven gaan leiden, zijn eigen leven, niet dat van anderen, en onder anderen verstaat hij vanzelfsprekend ook hém, met dat meisjeshaar, zelfs al is het duidelijk dat zijn grootvader geen flauw idee heeft hoe dat leven dat hij het zijne noemt eruit zou zien en hoe hij dat zou willen leiden, wetend dat hij een lafaard is die nooit het lef zal hebben om het daadwerkelijk te doen en die daarom, omdat de glans van dat andere leven, hoe onmogelijk ook, nooit helemaal zal doven en hem zal blijven herinneren aan wat hij graag zou willen maar niet doet, onvermijdelijk veroordeeld is tot verbittering, tot het vergallen van zijn eigen leven en dat van de mensen om hem heen, hem inbegrepen, uiteraard, met zijn blonde mietjeshaar en zijn Supermanpak en zijn tekeningetjes en die smerige krijtjes die hij om de haverklap op de grond laat slingeren, waarna iemand ze zonder er erg in te hebben stuktrapt op het tapijt, zodat er vlekken in komen die er nooit meer uitgaan.

Op een avond, in de badkamer, terwijl hij toekijkt hoe de zeep die hij net als een drenkeling uit het water van de badkuip heeft gevist, geniet van zijn onverwachte redding aan boord van de spons die dienstdoet als vlot, komt het dienstmeisje binnen en knipt per ongeluk het licht uit, waarmee ze hem hevige angst aanjaagt. Hij huilt niet, maar het dienstmeisje gaat, wie weet om hem al bij voorbaat te troosten voor de tranen die hij nog niet heeft geplengd of om te zorgen dat die tranen eindelijk komen, op de rand van het bad zitten, met beide benen aan één kant, zoals hij heeft gezien dat vrouwen doen als ze paardrijden, en vertelt hem over haar verloofde Rubén, brigadier van politie in San Miguel de Tucumán, van wie ze een kind verwacht en met wie ze dacht binnen drie maanden te gaan trouwen totdat ze die brief kreeg van een vrouw die Blanca heet, van wie ze nog nooit in haar leven had gehoord, die haar laat weten dat ze de vrouw is van Rubén, zijn wettige vrouw sinds vijf jaar, en dat ze al twee kinderen met hem heeft die op de bijgevoegde foto staan, en die haar vriendelijk vraagt eindelijk op te houden met brieven schrijven naar het detachement en te proberen haar leven weer op te pakken met een andere man wiens hart nog niet bezet is. Et cetera.

Bij zijn vader daarentegen luistert hij minder dan dat hij praat, én dan dat hij huilt. Zijn vader is de meerdere voor wie hij regelmatig verschijnt, om verslag uit te brengen, zonder twijfel, hoewel het hem nooit gemakkelijk valt te beslissen in hoeverre de verhalen die hij vertelt hem interesseren, maar vooral om hem te garanderen dat hij voor hem een en al oor is en blijft, iemand die in staat is iedereen te laten praten, louter door zijn lichamelijke aanwezigheid. Om de waarheid te zeggen, afgaande op de verstrooidheid en af en toe zelfs de ergernis waarmee zijn vader hem aanhoort, zijn het niet zozeer verhalen die zijn vader van hem lijkt te verwachten tijdens die sessies waarin hij het gevoel heeft dat hij rapporteert, zelfs niet de verhalen die zijn moeder vertelt, waarin zijn vader steevast slecht wordt afgeschilderd, niet alleen als vader maar ook als echtgenoot, minnaar en in zijn beroep, verhalen die in plaats van zijn vader boos te maken, zoals hij zou verwachten, hem juist vertederen, bijna tot kotsens toe week maken, zo erg dat zijn vader, die er nooit naar luistert zonder hem te vragen zijn moeder niet te veroordelen maar haar te begrijpen, ze op geen enkele manier ontkent maar eerder lijkt te bevestigen, nee, wat hij verwacht zijn geen verhalen, maar tranen. Als het verhaal dat zijn zoon voor hem heeft een aanwijzing is voor zijn gevoeligheid, voor de mate van nabijheid die hij kan bewerkstelligen met elke willekeurige volwassene, dan is huilen het bewijs, het meesterwerk, het monument, dat hij aanmoedigt en toejuicht en beschermt als was het een unieke, onschatbare vlam, die nooit meer zal branden als hij eenmaal is gedoofd.

Zoals altijd is het moeilijk vast te stellen wat oorzaak is en wat gevolg, maar hij heeft de indruk dat hij dat buitengewone vermogen van hem om bij de geringste prikkel, fysieke pijn, frustratie, verdriet, andermans tegenspoed, zelfs het toevallige schouwspel op straat van bedelaars of invaliden, in huilen uit te barsten, alleen in praktijk brengt of zelfs uitsluitend bezit als zijn vader in de buurt is. In een andere context, het leven met zijn moeder bijvoorbeeld, of met zijn grootouders, of om wat dichter bij huis te blijven, het leven op school, zo vol van wreedheid, vernedering en geweld dat zelfs de hardste kinderen, of de kinderen die de grootste kans lopen een slechte naam te krijgen, er nooit helemaal vanaf komen zonder te snotteren, moeten ze hem wel bovenmenselijk veel pijn doen om hem een traan te ontlokken, en in de zeldzame gevallen dat dit lukt, kun je niet eens van huilen spreken, zozeer wordt dat wat uit zijn ooghoeken opwelt, hoe dan ook heel weinig, geneutraliseerd door de onverschillige houding van de rest van zijn lichaam. Het is bijna ziekelijk, net als zijn latere onvermogen om te zweten. Zijn moeder heeft er wel eens over gedacht hem te laten onderzoeken, maar toen ze zich voorstelde hoe ze voor de dokter stond, kwam ze daarop terug. Wat moest ze zeggen? 'Mijn zoon huilt niet?' Tegen wie spreek je zo'n zin uit? Er zijn nog geen psychologen, ze zwermen althans nog niet als kraaien om een gezin uit de middenklasse zoals later zal gebeuren, en pedagogie is een vakgebied dat nog in de kinderschoenen staat en warmdraait in de klaslokalen van de schoolinstellingen. Tegen de huisarts? Misschien. Maar dan zou zijn moeder eerst een echte dokter moeten vinden, iemand die, in tegenstelling tot de arts die ze van zijn vader heeft overgenomen, een ouderwetse slager van wie je alleen in zeer overdrachtelijke zin kunt zeggen dat hij hen bijstaat, voor wie niets wat minder ernstig is dan een acute long- of buikvliesontsteking het waard is ziekte genoemd te worden of de tijd van een consult rechtvaardigt, naar een dergelijke opmerking kan luisteren zonder in schaterlachen uit te barsten, haar aan te kijken of ze gek is geworden of haar op de lijst te zetten met patiënten die hij niet meer wil ontvangen. Alles wat hij niet aan de ene kant huilt, huilt hij wel aan de andere kant. Zo simpel is het. Hij kan met zijn schoenen met dikke, orthopedische steunzolen, want hij heeft platvoeten of 'een verzakte voetboog', zoals hij later hoort van dezelfde vooruitstrevende traumatoloog die op zijn twaalfde de knokkels van allebei zijn voeten doorzaagt, over het schoolplein rennen, uitglijden, zijn knieën schaven aan de tegels en meteen weer opstaan en verder rennen zonder zelfs maar naar zijn verwondingen te kijken. Maar als hij weet dat zijn vader in de buurt is en hij plotseling een zwerfhond ziet die op de tennisclub tussen kratten met fruit door strompelt, is hij in staat twintig minuten achter elkaar te huilen. Sinds wanneer hij dat vermogen heeft, zou hij niet kunnen zeggen, maar hij vindt het moeilijk zich met zijn vader voor te stellen zonder op de een of andere manier door het huilen aangedaan te zijn, dan wel met tranen in zijn ogen, dan wel het snot afvegend nadat hij gehuild heeft, dan wel bevangen door het beven en rood aanlopen dat een voorbode is van het huilen. Hij is zelfs verbaasd als hij oude foto's ziet waar hij met zijn vader op staat en ontdekt dat zijn gezicht droog is. Dat ben ik niet, denkt hij dan.

[...] Hij beschouwt tranen als een soort munteenheid, een ruilmiddel waarmee hij dingen koopt of betaalt. Of misschien is het de vorm die het Nabije in hem aanneemt als hij bij zijn vader is. Er is iets in het huilen wat hem doet denken aan zijn door de bodem van het zwembad gladgeschuurde vingertoppen. Als de vingers zouden kunnen bloeden, zonder wond, enkel door het extreme dunner worden van de huid, zou het volmaakt zijn. Om te beginnen koopt hij met het huilen de bewondering van zijn vader. Hij kan voelen in hoeverre het gemak waarmee hij huilt hem op een bepaalde manier verandert in een trofee, iets waar zijn vader mee door de wereld kan paraderen, met een uniek gevoel van trots, net even anders dan de trots bij sportieve behendigheid, vroege zinnelijkheid of zelfs intelligentie, prijzenswaardige eigenschappen bij een kind maar te alledaags. Al heel snel is hij zich ervan bewust een soort wonderkind te zijn, een kleine verwant van de schaakkinderen over wie *Reader's Digest (Het Beste)* regelmatig schrijft, het tijdschrift dat hij altijd leest bij zijn grootouders, en ook van het monster met pony en korte broek dat lispelend de vragen over Homerus beantwoordt in het televisieprogramma dat het hele land in zijn ban houdt. Alleen gaat het bij hem om gevoeligheid. Luisteren, soms huilen, heel af en toe ook praten. Praten is, als het zich voordoet, het hoogste stadium. Een enkele keer praat hij over wat hem aan het huilen heeft gemaakt, de straatventer zonder been, de halfzijdig verlamde vrouw die met maar één kant van haar gezicht rookt, de klasgenoot die op school naast hem zit en op een dag de schoolbus mist en lopend terug moet naar de sombere buitenwijk waar hij woont. Maar het maximum, het toppunt, de galavoorstelling van de intieme scène met zijn vader, is als hij over zichzelf praat, als hij 'zich uitdrukt', als hij zegt 'wat er met hem is'. Daarin is hij ook anders dan een wonderkind. Daarin is hij olympisch kampioen, een halfgod, en nog zo het een en ander. Hoe goed, hoe nauwkeurig hij dan praat. Waar hij dat talent vandaan heeft, weet zijn vader niet. Eigenlijk heeft hij zich dat al afgevraagd sinds de eerste dag, als hij hem voor het eerst huilend verrast in de kleedkamer van de tennisclub en vraagt wat er met hem is, bijna terloops, alsof het document met voorwaarden waaraan een vader dient te voldoen dat een of andere zuiplap hem op een onbewaakt ogenblik heeft laten tekenen – in het ongezonde schemerdonker van een van de drive-inbars onder de arcaden in het stadspark van de wijk Palermo die hij vast regelmatig bezoekt op de zaterdagavonden dat híj, verzwakt door een keelontsteking, het weekend bij zijn moeder moet blijven in het appartement aan de calle Ortega y Gasset, waar zich dan bij het branden van de etterhaarden, de gezwollen amandelen en de koorts nog het onbehaaglijke gevoel voegt van een gespannen, onbeholpen intimiteit, of eigenlijk niet zozeer intimiteit als wel het gedwongen samenzijn, onder hetzelfde dak, van twee mensen die niets anders doen dan elkaar negeren, de een omdat hij, ook al houdt hij van de ander en is hij bereid alles voor haar te doen, er in feite geen flauw idee van heeft wat hij met haar aan moet, de ander omdat er geen minuut voorbijgaat zonder dat ze het verlangen voelt ergens anders, bij iemand anders te zijn – alsof in dat rampzalige document niet alleen de plicht is opgenomen een verband te leggen tussen de grimas van het huilen en de onzichtbare reden die dat kan hebben veroorzaakt, maar ook hun kinderen te vragen wat er met ze aan de hand is zodra de grimas hun gezicht begint te vertrekken. En volkomen onverwacht, net als zijn vader denkt dat hij zijn gezicht zal afwenden om de tranen te verbergen, of dat hij van onderwerp zal veranderen of zich uit de voeten zal maken, zogenaamd reagerend op een vriend die hem roept en met het racket in zijn hand op weg is naar de tennisbanen, komt hij met die onzichtbare reden, en niet één maar twee, drie, een lange stroom van redenen die hij wie weet hoelang al heeft opgespaard, en niet in het gestamelde taaltje dat je zou verwachten van een peuter, maar in een organische, zorgvuldig gearticuleerde monoloog, zo consequent dat zijn vader heel even zou zweren dat hij in zijn slaap praat, in zijn slaap en met zijn ogen open, zoals hij volgens zijn ex-vrouw door de week soms 's nachts doet. [...] Natuurlijk heeft hij dat talent niet van zijn vader, die een leerschool heeft gehad waar introspectie, evenals de verwoording daarvan, louter tijdver-spilling zo niet een zwakte is. Het is eerder omgekeerd: hij is het, de zoon, die hoeveel? zes, zeven? is als zijn vader in zijn ogen de schitte-ring van angst ontdekt waarmee hij naar de vriend kijkt die op weg is naar de tennisbaan, zijn enige mogelijke redding, en de opwelling die hem doet besluiten te blijven, de mogelijkheid om te vluchten af te wijzen, en te gaan huilen en praten, hij is het die op de een of andere manier zijn vader vormt en hervormt en hem inschrijft in de school van de gevoeligheid, en hij doet dat zo grondig dat zijn vader, net als de eeuwig gedrogeerde Obelix met de toverdrank, zich er niet meer in zal hoeven baden om over zijn krachten te beschikken. Als er iets ondoorgrondelijk is, is het dan niet dit: waar komen de dingen van-daan, waar anders dan uit dat vage, weke, altijd al met emotie verza-digde binnenste, net zo overtuigend en dwingend overigens als zijn uitwendige tegendeel, de even onzuivere buitenkant waar de dingen altijd naartoe moeten worden gehaald?

Hij kan het niet helpen dat hij terugdenkt aan de scène waarin hij met zijn eerste, door een biecht gevolgde huilbui zijn vader tot tra-nen toe roert en hem voorgoed inlijft in de rijen der gevoeligen, wan-neer hij op een avond uitgerekend door zijn vader wordt meegenomen naar een van de bars met muziek, die de stad niet zonder een ze-kere grootspraak 'pubs' begint te noemen, en een concert bijwoont, dat een paar jaar later als 'mythisch' in herinnering zal worden geroe-pen, waarmee een protestzanger na zes jaar ballingschap het weer-zien viert met zijn fans. Er zijn niet veel mensen, misschien omdat de pub – een betrekkelijk nieuw fenomeen in een publieke omgeving die nog gedomineerd wordt door de 'bar' en het 'café' en nog veel nieuwer, om niet te zeggen verontrustend, voor het klassieke reper-toire van ruimtes waar livemuziek wordt gespeeld – nog niet de klei-ne menigtes op de been brengt waaraan de theaters gewend zijn, mis-schien omdat de protestzanger, die pas is aangekomen in het land en nog geen volledig beeld heeft van de irritatie die zijn terugkeer kan oproepen bij de misdadigers die regeren, verdorde maar rechtstreekse afstammelingen van degenen die hem hebben gedwongen te vertrekken, geen risico heeft willen lopen en de eigenaars van de pub, tevens organisatoren van het concert, ervan heeft overtuigd de opzichtige promotie die hij ongetwijfeld verdient, achterwege te laten. Hij heeft meteen al de indruk, aangenaam of onaangenaam dat weet hij niet, dat hij niet zozeer deelneemt aan een illegale handeling, want tenslotte heeft hij in een of andere krant over het concert gelezen, en als hij een activiteit zou steunen die in strijd was met de wet zouden de deuren van de pub niet wagenwijd openstaan en zouden ook die bleekgele lantaarns bij de ingang niet volop branden, voor iedereen zichtbaar, inclusief voor de surveillancewagens die regelmatig stapvoets over een van de beruchtste avenida's van de wijk Belgrano rijden, maar aan een veel verontrustender hybridisch evenement, waarin 'het clandestiene', misschien om niet af te schrikken en zijn reputatie niet volledig te verliezen, erin heeft toegestemd zich te mengen met 'het exclusieve'. Zo dwaalt hij, net aangekomen, terwijl zijn vader wegglipt naar achteren om een van zijn bekenden uit het nachtleven te begroeten, bijvoorbeeld de man die op een zondag, glimmend van zonnebrandmiddel onder de meedogenloze zomerzon, een perfecte duik neemt van de duikplank in New Olivos, of de man aan het tafeltje, dat hij, omdat hij daar al jaren zit, met alle recht van de wereld het zijne mag noemen, die zijn pakje sigaretten tussen de tot zijn elleboog opgetrokken mouw van zijn overhemd heeft gestopt en zijn vader voorziet van meisjes, drugs en een genereuze hoeveelheid 'karafjes', zoals de flessen whisky in die tijd werden genoemd, zo dwaalt hij besluiteloos rond tussen de tafeltjes en vraagt zich af wat te doen, met wie te praten, waar te gaan zitten, en hij weet ook niet wat hij ervan moet vinden dat er zo weinig publiek is, of het een reden is voor genot of onbehagen, voor vrolijkheid of neerslachtigheid. Het is gewoon een concert, maar voor hem, net als velen gevormd in de dialectiek van de massa en de cel, het plein en de kelder, kan het beperkte gehoor van een handjevol mannen en vrouwen dat is gekomen voor het weerzien met de protestzanger, dezelfde die amper zeven of acht jaar eerder hele stadions wist te vullen en zijn melodieën zelfvoldaan afstond aan de opstellers van militante leuzen, niets anders zijn dan een signaal, en niet een van de beste signalen, vooral wanneer het berekenende schemerdonker van de pub, het valse antiek van de houten lambrisering, de stralende elegantie van die in het wit geklede vrouwen en die gebruinde mannen met hoge glazen in hun hand, een letterlijke reproductie vormen van de sfeer, het decor en de hoofdpersonen uit de getekende reclames van sigaretten- of whiskymerken op de achterkant van de opiniebladen die zes jaar eerder de protestzanger aanklaagden als een gevaar voor de samenleving en het verbod eisten van zijn liederen.

[...] Het is vrijdag. Onverwacht heeft zijn vader een stilzwijgen van maanden doorbroken en hem op het allerlaatste moment, vlak voor het begin van het concert, gebeld. Hij aarzelt. Hij heeft niets te doen, hij heeft zelfs overwogen thuis te blijven, maar hij hoeft het van schuldgevoel doortrokken enthousiasme waarmee het programma wordt voorgesteld maar te horen, of aan de horizon van de nacht dienen zich plotseling duizend andere verleidelijke mogelijkheden aan om uit te gaan. Hij liegt: 'Het is al een beetje laat. Ik stond op het punt de deur uit te gaan.' Het is inderdaad al laat, maar dat zijn vader hem op het laatste moment heeft gebeld, komt omdat hij nu pas van het concert heeft vernomen, en niet uit de krant, zoals je zou kunnen verwachten, noch van derden, maar uit de mond van de protestzanger zelf, die, bekent zijn vader hem, 'enigszins geïntimideerd door de gebeurtenis' – hij is net uit Spanje aangekomen met een tijdelijk paspoort, zijn advocaat heeft hem geadviseerd zijn koffers nog niet uit te pakken, het is de eerste keer in zeven jaar dat hij een stad aandoet waar hij vrijwel niets herkent –, heeft besloten dat deze avond, de avond van zijn debuut, een avond voor 'intimi' moet zijn en dat er alleen 'bevriende gezichten' op de voorste rijen mogen zitten.

Voor de zoveelste keer, zoals steeds wanneer zijn vader te koop loopt met zijn relatie met een bekend persoon, kost het hem moeite hem te geloven en hij knijpt zijn ogen wantrouwend tot spleetjes. Alsof hij zich eindelijk laat overtuigen door de feiten van een verborgen leven, die altijd duidelijk zijn geweest maar die hij nooit heeft willen erkennen, ziet hij zijn vader plotseling als een van die fanatici met geverfd haar en smachtende ogen die foto's met handtekening verzamelen, bij de deur van de televisiezenders staan te wachten om hun favoriete sterren te verrassen en later de groet, de beleefde woorden of de vluchtige, lichtelijk verschrikte glimlach die hun idolen aan hen wijden, niet zozeer uit dankbaarheid als wel om zo snel mogelijk van ze af te komen zonder hun woede te wekken, aanzien voor een bewijs van betrokkenheid of genegenheid die er niet is geweest en er ook nooit zal zijn. Hij wantrouwt zelfs de gevallen waarbij de relatie door antecedenten wordt ondersteund, zoals bij de protestzanger, over wie hij zich herinnert zijn vader regelmatig te hebben horen praten toen de zanger op het hoogtepunt van zijn roem was, de eerste keer op het moment van zijn doorbraak, waarbij hij van de ene op de andere dag op de voorgrond treedt met zijn licht Italiaanse accent, zijn ongedwongenheid, de zoetsappige menselijkheid van de liederen die, in een zacht straatdialect van de middenklasse, de eenvoud en de zuiverheid bezingen van waarden die juist omdat ze zo voor de hand liggen onzichtbaar zijn geworden, en die zich heimelijk beroemen op alles wat ons verhindert ze te herkennen, zelfs op alles wat ze ertoe veroordeelt te verdwijnen, want het is precies het tragische lot van die verloren waarden dat de liederen de weemoedige weerklank geeft die ze in staat stelt te ontroeren, te chanteren en aanhangers te werven; de tweede keer wanneer de protestzanger, geheel in lijn met de geest van de tijd, besluit de menselijkheid van zijn liederen te voorzien van het laagje agressiviteit, verontwaardiging en aanklacht dat noodzakelijk is om probleemloos van de industrie van het gevoelige over te gaan naar de politieke markt, en op dezelfde intieme, samenzweerderige en vertrouwelijke toon een oproep doet de landafscheidingen neer te halen of de productiemiddelen te onteigenen als waarop hij tot dan toe het dagelijkse wonder van een stortbui begroette, of het meisje dat hij elke dag ziet bij de bushalte uitnodigde iets te gaan drinken in de bar, of in een barmhartig droombeeld zijn vader ouder heeft zien worden.

Diezelfde avond, om niet te ver af te dwalen, terwijl ze op weg zijn naar de pub, vraagt hij aan zijn vader, deels om hem op de proef te stellen, deels omdat het hem ergert dat hij geconfronteerd wordt met een aspect van zijn vader dat hij altijd het liefst heeft willen vergeten, hoe het komt dat de protestzanger hem persoonlijk heeft uitgenodigd voor het concert, waarom, in welke hoedanigheid. En dat vraagt hij alleen maar omdat het sterker is dan hemzelf, omdat hij het echt niet kan laten. Als hij kon, wat zou hij het dan graag hebben gelaten! Want hij heeft de vraag nauwelijks gesteld of hij herkent op het gezicht van zijn vader dat air van voldoening en tegelijk geheimzinnigheid dat hij zichzelf tegen elke prijs zou hebben willen besparen. Hij heeft opnieuw toegehapt. En terwijl hij worstelt met het haakje dat zich heeft vastgehecht in zijn gehemelte, zichzelf keer op keer vervloekend omdat hij in de val is getrapt, en niet uit onvoorzichtigheid, want hij ziet het altijd al van mijlenver aankomen, maar uit zwakheid, nieuwsgierigheid en zelfs afgunst, slaakt zijn vader een diepe zucht en begrijpt hij precies wat hij moet begrijpen: dat het gaat om 'een lang, ingewikkeld verhaal', 'onmogelijk samen te vatten', waarna zijn vader het evenwel toch voor elkaar krijgt, met die voor hem kenmerkende behendigheid die hij telkens weer bewondert, om midden in een relaas vol omhaal van woorden, sprongen voor- en achteruit in de tijd en gedachtepuntjes, een reeks verontrustende termen te laten opborrelen, 'schuilplaats', 'geheime telefoonlijn', 'vals paspoort', 'Ezeiza'*, die in hem blijven ronddrijven als fosforescerende boeien, restanten van een onmetelijke verzonken wereld die hij niet meer uit zijn hoofd kan zetten. Als hij dan tenminste nog duidelijke taal sprak.

[…] Het is juist het vage karakter van zijn relaas, de onbestemdheid waarin hij feiten en data laat oplossen, de verwarrende gebieden die hij niet alleen niet lijkt te omzeilen, maar waar hij zelfs dieper op ingaat, het is dat alles, waarvan hij nooit weet of hij het moet toeschrijven aan een nonchalant geheugen dat details niet van belang acht, of domweg aan berekening, wat hem te denken geeft. En als hij nu eens zo fragmentarisch praat met de dubbele intentie zijn nieuwsgierigheid te bevredigen en hem tegelijk niet in verlegenheid te brengen? Misschien is de luchthartigheid van dat wat hij opvat als een relatie van slaafs ontzag, en waarvoor hij een onherroepelijke veroordeling verdient, zonder enige nuancering, ongeacht of de bekende persoon in kwestie bewonderenswaardig dan wel laaghartig is, een vooraanstaand mens dan wel een grote nul, een genie dan wel een idioot, omdat hij vindt dat zijn vader zich hiermee menselijk gezien buitengewoon verlaagt, niets anders dan een rookgordijn, een dekmantel, bedoeld om een nauwere en ook gevaarlijkere band te verdoezelen, een band die iemand die ervan op de hoogte zou zijn onmiddellijk in gevaar zou brengen.

Maar die avond ziet hij de protestzanger op het toneel van de pub verschijnen, hij ziet zijn silhouet vanuit de achtergrond naderen, lang, slungelig, verwelkomd met een luid applaus en felle kreten, zo fel dat het ineens moeilijk valt uit te maken of ze hem toejuichen of bedreigen, en met zijn inheemse gitaar plaatsnemen op de hoge kruk die ze op het toneel hebben gezet, hij ziet hoe een schijnwerper hem in een koker van licht plaatst en de omlijning schetst van zijn krullenkop en zijn grote bril met zwart montuur, de twee hardnekkigste vondsten van zijn persoonlijke iconografie – afgezien natuurlijk van de eeuwige glimlach, zo rotsvast aanwezig op zijn gezicht dat ze die meer dan eens hebben toegeschreven aan een milde vorm van spieratrofie –, allemaal ongeschonden, ondanks de zeven jaar ballingschap, en op de een of andere manier nog versterkt door de witte tuinbroek die hij aanheeft, zo'n 'timmermanspak', het voorpand dichtgeknoopt en nooit gedragen door timmermannen, die er van hun leven geen van dichtbij hebben gezien, maar door zwangere vrouwen, tuiniersters en acteurs die, moe van het beproeven van hun geluk bij massale audities om vervolgens te worden afgewezen, ten slotte onderdak vinden in de wereld van het kindertoneel of de musical, het enige nieuwe overigens, die witte tuinbroek, dat hij lijkt te hebben meegenomen uit de molen zonder licht of drinkwater aan de rand van Madrid, waar hij naar men zegt heeft gewoond, de witte tuinbroek én een lied dat hij die avond al snel ten gehore brengt, een primeur voor iedereen en een complete openbaring voor hém, die tijdens het luisteren iets cruciaals meent te begrijpen ten aanzien van zijn eigen leven – die avond ziet hij hem, híj, die hem alleen kent van zijn platenhoezen, de foto's in tijdschriften, de optredens op tv, en hij vraagt zich verbijsterd af wie het in zijn hoofd kan hebben gehaald dat hij gevaarlijk zou kunnen zijn, dat het de moeite zou lonen hem lastig te vallen, hem het leven onmogelijk te maken, hem te dwingen het land te verlaten, zijn liederen van de kaart te vegen.

En toch, als hij op dat moment iets in de wereld zou moeten kiezen wat over hem gaat, iets wat hem benoemt en waar hij niet omheen kan, hoe graag hij dat ook zou willen, want wat het benoemt is een soort stompzinnige, diep verborgen kern die hijzelf nog niet eens een naam heeft durven geven, dan zou hij drie regels kiezen uit het lied dat de protestzanger die avond voor het eerst ten gehore brengt, drie regels die hem niet zozeer raken, wat zou inhouden dat ze uit de mond van de protestzanger komen en door de lucht reizen en op hem inwerken, maar eerder uit hemzelf lijken te komen en, zonder door de lucht te reizen, want voor zover hij weet heeft hij zijn mond niet opengedaan, hoorbaar worden in de mond van de protestzanger, volgens dat wonder van het populistische geloof dat beweert dat de auteur van alle teksten, vanzelfsprekend inclusief de drie premièreregels waarin hij die avond, net als stervenden, zijn hele leven aan zich voorbij ziet trekken, het volk is, dat wil zeggen, het publiek, en dat de artiesten hoogstens mediums zijn, trotse woordvoerders, uit-verkoren door het volk om de boodschap over te brengen – maar aan wie? Aan wie brengen ze de boodschap over, als zij tegelijk de zender en het publiek zijn en er daarbuiten niemand overblijft, in elk geval niemand van belang, om naar die boodschap te luisteren?

Niet dat hij zich die vraag niet stelt. Dat doet hij wel, maar het andere is sterker en sleept hem meer mee, de manier waarop de drie regels van het lied dat de protestzanger voor het eerst zingt in zijn stad en in zijn land, waar hij, zoals hij bekent voordat hij begint te zingen, tijdens het componeren voortdurend aan moest denken, de waarheid laten oplichten die hij in het geheim altijd al in zich droeg. *Haal alles naar buiten/ Net als de lente/ Niemand wil dat er vanbinnen iets sterft.* Hij luistert naar die regels en ontdekt wat zíjn zaak is, de zaak waarvoor hij zich inzet sinds hij de jaren des onderscheids heeft bereikt, sinds die leeftijd waarop kinderen vertwijfeld hun best doen om te praten en hij alleen maar luistert, en de ontdekking overspoelt hem met een soort verbaasde ontzetting, zo verwarrend en nieuw overigens dat hij de rest van het couplet mist en er pas aandacht aan schenkt wanneer de protestzanger, in alles trouw aan de liedvorm, het na een tijdje één of twee maten vuriger herhaalt, daartoe aangemoedigd door de weerklank zoals hij ziet de eerste keer te hebben geoogst, en het handgeklap, dat aanvankelijk, weliswaar enthousiast, alleen opklinkt aan het eind van elk lied, hoogstens invallend bij de laatste akkoorden, hem openlijk durft te begeleiden. *Kom op, vertel me, zeg me/ Alles wat er nu door je heen gaat/ Want als je ziel alleen is zal die huilen/ Haal alles naar buiten/ Net als de lente/ Niemand wil dat er vanbinnen iets sterft/ Praten, in elkaars ogen kijken/ En alles naar buiten halen/ Zodat er vanbinnen dingen kunnen ontspruiten/ Nieuwe, nieuwe, nieuwe, nieuwe dingen.*

Hij begrijpt alles. Het is misschien wel dé grote politieke gebeurtenis van zijn leven: dat wat hem de waarheid onthult over de zaak waarvoor hij zich altijd heeft ingezet, is tegelijk en voorgoed datgene waar zijn maag het meest van omdraait. Vanaf dat moment noemt hij het de walging. Vanaf dat moment kan hij niets meer zien of horen van de protestzanger – die trouwens profiteert van de algehele klimaatverandering, zijn befaamde molen verkoopt en zich weer in het land vestigt en mettertijd zijn inheemse gitaar en witte tuinbroek opbergt om zich aan de politieke liefdadigheid te wijden zonder ooit af te zien van die eeuwige glimlach, die grote bril of dat ongedwongen samenzweerderige toontje, zo van 'laten we een kop koffie gaan drinken' of 'laten we even bijpraten', waarop hij vroeger altijd zijn liederen zong – zonder onmiddellijk de aanvechting te voelen de krant waar een portretfoto van hem in staat in brand te steken, het televisietoestel aan stukken te slaan waarop hij zingend te zien is in een theater in Cali of een arena in Quito, ogenschijnlijk de enige decors waar 'het volk' het nog prettig vindt zich via hem uit te spreken, of de persoon die zojuist midden in een gesprek zijn naam heeft laten vallen, ook al is dat niet noodzakelijkerwijs om hem op te hemelen, op zijn gezicht te timmeren. Vanaf dat moment komt alles wat om de protestzanger heen hangt, niet alleen zijn tekstschrijver en zijn naaste vrienden maar ook zijn tijdgenoten en zijn, zoals dat in die tijd heet, 'fellow-travellers', evenals het tijdperk dat hem verheerlijkt, de waarden die hij verdedigt en de kleren die hij draagt, alles komt hem ranzig voor, bedorven door de buitengewone, zo giftige stank van voedsel dat als het eenmaal de houdbaarheidsdatum heeft overschreden en tot ontbinding overgaat, een afschuwelijke pestlucht verspreidt, een lucht die zelfs maar moeilijk voorstelbaar is bij dingen waarvan verrotting de enig mogelijke bestaansvorm is. Vanzelfsprekend trapt zijn vader erin – zijn vader, die hij ineens van voor naar achteren scant, hem onderwerpend aan het onverbiddelijke aftasten van zijn ontdekking en van zijn woede, de ergst denkbare woede, de woede van iemand die zich gebruikt voelt, van de onvrijwillige oorlogscorrespondent, van de speciale verslaggever in het rampgebied, zoals hij al heel snel begint te denken. Alle dagen van zijn leven is hij naar de wereld van de gevoeligheid gestuurd, naar het slagveld van de gevoeligheid, waar alles 'nabijheid', 'huid', 'emotie', 'samen delen', 'huilen' is, en elke dag weer is hij, als een gehoorzaam soldaatje, teruggekeerd, en de uitgelatenheid waarmee zijn vader hem elke keer heeft ontvangen, dubbele uitgelatenheid als hij hem heeft zien terugkeren met maar één been, driedubbel met maar één oog en één hand, is niet zozeer een beloning geweest als wel een aansporing, het noodzakelijke smeergeld om zich ervan te verzekeren dat hij de volgende dag vroeg zal opstaan, zijn uniform zal aantrekken en weer op weg zal gaan. Ze trappen erin, zijn vader en vooral het vochtige waas dat zijn ogen vertroebelt, elke keer dat hij hem, met of zonder oorlogsbuit, ziet terugkeren van het slagveld van de gevoeligheid, dat zich lijkt te verdichten in zijn ooghoeken en zodra het begint te stollen, zodra het op het punt staat traan te worden, paf, oplost in het niets, hetzelfde vochtige waas overigens dat zijn vader na verloop van tijd als bij toverslag in zijn ogen laat glinsteren zodra híj op het punt staat iets tegen te werpen, door te dringen tot de kern van een probleem dat hij liever naast zich neerlegt, of duidelijk te maken wat zijn domheid hem verhindert te zien, en dat zijn ogen plotseling doet vertroebelen alsof ze zijn beslagen – 'beslagen', een woord waar hij een hekel aan krijgt omdat het verbonden is met 'café', met de 'warmte' van een 'café' in de winter, met 'verliefden' die een 'hart' op de 'beslagen ruit' van het 'café' 'tekenen', dat wil zeggen, met de weerzinwekkende denkbeeldige melkweg waar de protestzanger nog altijd regeert – en dat ze niet alleen beschermt maar ook het offensief dat hem bedreigt afzwakt en meteen daarop onschadelijk maakt. *Kom op, vertel me, zeg me.* Maar *kom op* waarheen? *Vertel me* wat? *Zeg me* wie?

Te laat. De walging, hij kan er nog zo'n hekel aan hebben: dat zal niet voorkomen dat die op hem inwerkt, dat die op hem blijft inwerken zoals die altijd op hem heeft ingewerkt, met geduld, vastberadenheid en blind vertrouwen in de toekomst, met de zekerheid dat de tijd aan haar kant staat, aan de kant van de walging, zoals roest net zo lang op iets inwerkt totdat er een gat in is ontstaan. Want het is niet de weerzin die de protestzanger die avond bij hem opwekt die een verklaring verdient – die niet, en trouwens ook geen andere vorm van weerzin, of ook maar iets wat te maken heeft met weerzin in het algemeen, dat grote zwarte gat dat onafgebroken een gedachtestroom opslokt die fortuinlijk of zelfs verlossend zou zijn als die maar op de juiste voorwerpen werd toegepast. Nee. Het is de aantrekkingskracht, het magnetisme van de protestzanger, toch al moeilijk te weerstaan voor iedereen, zoals de duizenden en duizenden idioten bewijzen die door de jaren heen zijn naam scanderen, zich voeden met zijn verklaringen aan de pers, zijn liederen zingen, zijn platen kopen en ervoor zorgen dat zijn concerten zijn uitverkocht, maar voor hem, als tot het Nabije bekeerde ideoloog, nog veel onweerstaanbaarder. Of hij het nu erkent of niet, het is de protestzanger zelf, die later na afloop van het concert, als er in de pub alleen nog 'de vrienden' over zijn, onder wie vanzelfsprekend zijn vader en hij, als aanhangwagen, en zijn vader hem meeneemt om hem te leren kennen, het is de weerzinwekkende protestzanger zelf, met zijn ronde bril, zijn pijpenkrullen, zijn air van een veertiger die weigert de handdoek in de ring te gooien, die hem de sleutel tot het verschijnsel geeft. 'Mijn zoon,' kondigt zijn vader aan als ze bij de protestzanger aankomen, die op de rand van het toneel een paar handtekeningen uitdeelt. De protestzanger geeft een balpen terug, knijpt zijn ogen tot spleetjes en kijkt hem verwonderd aan, alsof hij wat? is, een pas gebakken, nog warm brood? een zonsondergang? een met toekomst geladen wapen? 'Je zoon!' roept hij zachtjes uit, en in die perfect gedoseerde mengeling van agressie en tederheid – 'tederheid', nog zo'n woord dat hij niet meer kan uitspreken zonder het gevoel te krijgen dat hij vergiftigd wordt – meent hij de geheime formule te herkennen van een medeplichtigheid die gebaseerd is op wat hij het meest verafschuwt in de wereld, vaagheid, oppervlakkigheid, zelfgenoegzaamheid, en als hij verlegen een hand uitsteekt, met een strakke arm, als een automaat, om zijn vader geen figuur te laten slaan maar toch enige afstand te bewaren, pakt de protestzanger hem bij zijn onderarmen, en terwijl hij hem plotseling naar zich toe trekt, zodat hij zich, volledig verrast, niet kan verzetten, omhelst hij hem langdurig, waarbij hij zijn kin op zijn schouder laat rusten en fluistert: 'Maar wat heerlijk. Wat een fantastische zoon heb je. Wat een prachtige jongen' – en dat zegt hij niet tegen zijn vader en natuurlijk ook niet tegen hem, als tussenpersoon van zijn vader, of tegen iemand in het bijzonder, maar tegen die iedereen in het bijzonder aan wie hij handtekeningen uitdeelt en voor wie hij dingen zingt als *Ik was kind, wieg, tepel, borst, deken/ Plus angst, boeman, schreeuw, traan, ras/ Daarna veranderden de woorden/ En werden blikken afgewend/ Er was iets gebeurd/ Waar ik niets van begreep.* En als je er niets van begreep, denkt hij, waarom hou je dan niet je mond? Waarom berg je je gitaar dan niet op? Waarom ben je dan niet in die verdomde molen van je gebleven? En terwijl hij zich laat platdrukken door die armen, veel te dun voor de mouwen van zijn T-shirt, eveneens wit en met een glimlachende zon erop geborduurd die boven het voorpand van zijn tuinbroek uitkomt, begrijpt hij dat als de protestzanger al ergens kunstenaar in is – als het tenminste gerechtvaardigd is het woord kunstenaar te associëren met iemand die tweeënhalf uur heeft uitgeblonken in twee dingen, één, met een eeuwige glimlach, de glimlach van 'zingen', van 'leven', van 'samen zijn', een repertoire van liederen ten gehore brengen waar de zwakzinnigste der zwakzinnigen nog verontwaardigd bezwaar tegen zou hebben gemaakt, twee, op de fraaiste toon van de gerehabiliteerde Argentijn die eindelijk een smartelijke idiomatische onthouding achter zich heeft gelaten, woorden citeren als *joder, vale, camarero, gilipollas** en andere die hij tijdens zijn Spaanse ballingschap heeft geleerd, woorden waar hij destijds steun aan had en waar hij nu, in de vriendenkring van de pub in Buenos Aires, de spot mee meent te kunnen drijven – dat hij dan juist dit is, een volleerde kunstenaar in de nabijheid, iemand die niets beter kent dan de waarde, de betekenis, de doeltreffendheid van de nabijheid en haar nuances, en hij begrijpt tegelijkertijd de werkelijk geniale ambivalentie van die ongelegen omhelzing die hem twee of drie minuten later, als de protestzanger hem niet zo stevig in zijn greep had, zou beginnen te storen, want aan de ene kant lijkt die omhelzing zich te beperken tot het vertalen, het in daden omzetten van een emotionele band die tussen hen al bestond, of ze zich daar nu van bewust waren of niet, en vertegenwoordigt die daarom, ingetogen en wederzijds, de essentie van de 'innige verbondenheid', maar aan de andere kant is het een geschenk, een gift, iets wat alleen bestaat en een schijn van realiteit bezit dankzij de protestzanger, omdat de protestzanger, als een priester die niet God gehoorzaamt maar zijn eigen grillen, besluit hem die te geven, en in die zin is het, miraculeus en incidenteel, een privilege.

Het is nog een geluk dat Menselijke Goedheid, zoals hij de protestzanger vanaf dat moment bij zichzelf noemt, die avond iets te doen heeft, gaan eten met 'vrienden' bijvoorbeeld, een 'lekkere biefstuk' met een 'goede fles rode wijn', of een van de andere heropvoedingsprogramma's waaraan Argentijnen die terugkomen uit ballingschap zich wensen te onderwerpen, al doen ze dat vaak zo nadrukkelijk en intensief dat de Argentijnen zelf er niet tegen kunnen, en op die manier de intimiteit die hij met die onverhoedse omhelzing is begonnen, onderbreekt. Want als hij bij hen zou blijven, bij zijn vader en bij hem – die allebei, hoe bevriend ze ook mogen zijn met de protestzanger, na wat gekonkel dat niet lang duurt maar wel het begin vormt van een wat ongemakkelijke sfeer, worden uitgesloten van de harde kern die binnenkort op jacht gaat naar de 'lekkere biefstuk' en 'de rode wijn', wat zijn vader onderdompelt in dat gevoel van verbittering waarvan hij de symptomen herkent aan de manier waarop plotseling alles in een ander licht komt te staan, zodat wat eerst opwinding, enthousiasme, bewondering en dankbaarheid was, nu teleurstelling, afkeer, minachting is, en dezelfde protestzanger die tweeënhalf uur eerder of zelfs tijdens het concert, terwijl hij zong: *Ik ben degene die hier is/ Ik wil niet meer dan jij me wilt geven/ Wat je vandaag krijgt raak je morgen weer kwijt/ Net als met margrietjes/ Net als de zee/ Net als het leven, het leven, het leven, het leven,* nog 'waardevol' was, zijn 'authenticiteit' en 'charme' had en zelfs uitdrukking wist te geven aan een zekere 'Argentijnse gemoedelijkheid', nu 'een ramp' is, 'zelfs liegt als hij zijn gitaar stemt' en liederen zingt die 'in de jaren zeventig doven niet eens zouden hebben verdragen' – als hij bij hen zou blijven, als hij erin zou toestemmen met ze te gaan eten en zijn vader op een gegeven moment opstond van tafel en hen alleen liet, zou Menselijke Goedheid, misschien doezelig van de 'lekkere biefstuk' en 'de rode wijn' die hij zich, zelfs los van de harde kern, niet heeft ontzegd, het niet kunnen laten en honderduit beginnen te praten, hem in vertrouwen nemen en in zijn oor het zoete, exclusieve gif gieten, de geheimen die hij nog nooit aan iemand heeft verteld, de intiemste en ellendigste geheimen, waarvan hij zelf niet eens weet dat hij ze in zich heeft.

Dat laatste is precies wat een van de beste vrienden van zijn vader met hem doet als ze op een middag samen terugrijden van een buitenhuis in het noorden van de provincie Buenos Aires. Ze zitten in een splinternieuwe BMW. Ter hoogte van de avenida Lugones y Dorrego, met de snelheidsmeter op 175, als het gesprek meer dan naar tevredenheid lijkt te verlopen met onderwerpen die hij heeft aangestipt sinds ze de avenida Márquez achter zich hebben gelaten, zoals de halve finales van Wimbledon, het onverwachte echec van een Argentijnse politiefilm, het duurder worden van de dollar, het afleidende effect van de reclameborden langs de avenida, begint de kerel, met zijn dichtbegroeide snor en zijn ondoordringbare Ray-Ban, een professional in achterbaksheid, van het ene moment op het andere zijn hart te luchten en vertelt hem met trillende stem, met woorden die hij duidelijk voor het eerst gebruikt, zoveel moeite kost het hem ze uit te spreken, 'liefde', 'eenzaamheid', 'verdriet', waarschijnlijk dezelfde woorden waar Menselijke Goedheid kwistig mee strooit als hij gaat zitten om zijn liederen te componeren, dat zijn vrouw hem verlaten heeft, dat hij haar tandenborstel in de badkamer ziet staan en moet huilen, dat hij niet kan slapen, dat hij niet eens zonder hulp zijn stropdas kan strikken. Datzelfde overkomt hem, op zijn zesde of zevende, wie zal het zeggen, als hij op een zondagavond in de kleedkamer van Paradise of New Olivos, al gedoucht en aangekleed, naar het kamertje van de conciërge loopt om zijn handdoek terug te brengen en de man, die hem kent, die al duizenden handdoeken van hem in ontvangst heeft genomen, met wiens kinderen, twee, hij altijd speelt als hij ze in het zwembad tegenkomt, maar met wie hij nooit meer dan de geijkte woorden heeft gewisseld, uitbarst in een soort vochtig gesnotter en hem vertelt dat hij bij de dokter is geweest, dat hij ziek is, dat hij nog hooguit zes maanden te leven heeft.

Twintig jaar later, op een avond waarop hij, euforisch door de liefde die volkomen onverwacht opnieuw in zijn leven is gekomen en het als een handschoen binnenstebuiten heeft gekeerd, ingaat op de uitnodiging voor een feest dat een oude vriendin, die na twintig jaar in het buitenland haar terugkeer in het land wil vieren, geeft in het huis waar ze tijdelijk woont totdat ze zelf onderdak heeft gevonden, en hij kort na het eten, tijdens het natafelen, in een vlaag van spraakzaamheid alle aandacht naar zich toe trekt met een van die verbale uitbarstingen waarvan de heftigheid alleen gerechtvaardigd wordt door die typische daadkracht van pas verworven geluk, en ongetwijfeld ook door de dwingende behoefte dat geluk tentoon te spreiden tegenover degene die het veroorzaakt, in zijn geval dat lichaam waarvan hij het gevoel heeft dat het hem niet zozeer verliefd heeft gemaakt als wel dat het hem zijn leven heeft teruggegeven en waaraan die avond en de drie daaropvolgende jaren alle dingen die hij denkt, zegt en doet, zijn gewijd, staat een man met baard, choker, tweedjasje en antilopeleren rijlaarzen, die tot dan toe tegenover hem aan tafel heeft gezeten, dat wil zeggen, ook tegenover degene die hij sinds amper twee weken blozend mijn vrouw noemt, plotseling op en verdwijnt uit zijn gezichtsveld om slechts een paar seconden later naast hem weer op te duiken, dit keer niet als beeld maar als stem – de eerste keer die hele avond dat hij hem hoort, denkt hij op het moment dat hij voelt hoe de ander zich over zijn schouder buigt en de besmette woorden in zijn oor laat stromen: *Dit omdat jij nooit vastgebonden hebt gezeten aan een metalen elastiek terwijl twee kerels met een stroomstok je ballen folterden.*

Hij reageert niet, is niet in staat zich te bewegen. Later, diezelfde avond, als hij tussen de lakens kruipt om het geslacht van de vrouw te kussen die hem zojuist letterlijk nieuw leven heeft ingeblazen en zichzelf besmeurt met het sperma dat hij er daarnet in heeft achtergelaten, komt de gedachte bij hem op dat wat hem nog het meest heeft verbijsterd van het voorval met de gemartelde oligarch, zoals hij hem meteen is gaan noemen, zozeer doen zijn kledingstijl, zijn omgangsvormen, zijn stijve houding en zijn gladde manier van spreken, als van een dronkenlap, en ten slotte zijn achternaam – die hij te weten komt, zonder dat hij kan zeggen waarom hij daar zoveel belang aan hecht, terwijl ze bij de deur hun jas aantrekken en met een kus afscheid nemen van de gastvrouw, die hen allebei bedankt dat ze gekomen zijn en het nogmaals betreurt, op die overdreven toon waarop men gewoonlijk betreurt dat er iets niet is gebeurd wat niet de minste kans had te gebeuren, dat 'el Gato' er niet was om haar gelijk te geven en te bevestigen wat zij hem halverwege het feest tijdens een onderonsje heeft verteld, namelijk dat haar vriend uit de jaren zestig, de beroemde saxofonist Gato Barbieri, op zijn veertigste nog hardnekkig *otoboes* blijft zeggen in plaats van bus, de zuivere waarheid is – hem denken aan de veefokkers, landeigenaren en producenten van landbouwartikelen die hij als kind jaar in jaar uit heeft gezien op de landbouwbeurs van Buenos Aires, een verplicht uitstapje voor elke Argentijnse schoolinstelling, wat hem nog het meest heeft verbijsterd van het voorval met de gemartelde oligarch, denkt hij, is het

Dit waarmee hij de giftige zin begint die hij in zijn oor giet. *Dit*, denkt hij. *Dit* wat? Wat is *Dit*? Waar verwijst het naar? Alles wat hij in de laatste veertig minuten van het feest gezegd heeft? Alles wat hij gezegd heeft plus het geluksgevoel waarmee hij het gezegd heeft? Dat alles plus hijzelf, met alles erop en eraan, met zijn gezicht en zijn naam en wat hij doet en hoe hij praat en zijn leeftijd? Dat alles, hij helemaal, van top tot teen, waarbij het er kennelijk weinig toe doet dat de gemartelde oligarch hem voor het eerst in zijn leven tegenkomt, plus haar, de vrouw in wier armen hij opnieuw in slaap valt en nu meteen, nog voor het aanbreken van de dag, zou willen sterven? En niet alleen waar het naar verwijst maar ook wat het verbindt met wat, hoe en met welke verraderlijke bedoeling hij het voor elkaar krijgt de vreemde continuïteit te bewerkstelligen met de uitbarsting van gevoelens die hem meesleept, hém, de kersverse verliefde, de pauw wiens opzichtige gepronk hij, als hij dat dan niet kon verdragen, gemakkelijk had kunnen temperen met een beetje humor, afremmen door van onderwerp te veranderen of zelfs negeren door hem maar gewoon in de ruimte te laten kletsen, zoals verscheidene mensen die bij hen aan tafel zitten al zonder enige kwaadwilligheid hebben gedaan, in de overtuiging dat de bouillon van liefde waar hij in ronddrijft zo vol en exclusief is dat de ontdekking dat hij er in zijn eentje in ronddrijft zijn plezier in niets zal doen afnemen maar het misschien eerder nog zal vergroten – kortom, hoe is zijn geluk gekoppeld aan de littekens die de gemartelde oligarch verbergt onder het katoen van zijn merkonderbroek, sporen van een onbeschrijfelijke nachtmerrie die, zoveel is wel duidelijk, niet alleen nog niet is afgelopen omdat de kans groot is dat de geüniformeerde die hem heeft opgepakt vrij rondloopt, de man die hem heeft gedwongen zich uit te kleden geen andere openstaande rekeningen heeft dan een oude boete wegens fout parkeren, de man die hem met het elastiek heeft vastgebonden de wijn in pak waarmee hij zich bedrinkt in dezelfde supermarkt koopt als hij, de man die hem heeft gefolterd frank en vrij het

land in- en uitgaat en ze met z'n allen eens in de twee weken bijeen-
komen om in de bar op de hoek oude tijden in herinnering te roepen,
zonder te hoeven vrezen voor andere represailles dan een bedorven
stuk snijbietentaart, priklimonade zonder prik of een rekening
waarop meer staat dan ze hebben gebruikt, maar die ook nog niet ten
einde is omdat er op de wereld nog mensen zijn zoals hij, onbeken-
den, die op een feest komen binnenvallen en als schitterende kome-
ten door de nacht schieten, in vuur en vlam gezet door de vrouw die
bij hen is, een vrouw die niets zegt en van wie ze zich niet kunnen losmaken, want als ze zich van haar zouden losmaken, zou, net als met
de aarde zou gebeuren wanneer de zon plotseling ophield met schijnen, al het licht dat hen omhult en dat ze alleen door een optische illusie lijken uit te stralen, uitdoven, mensen zoals hij, die alleen lijken
te bestaan om de wereld het schaamteloze bewijs van hun geluk voor
de voeten te werpen.

Het voorval achtervolgt hem enige tijd. Bij de kwelling van het tot
in detail herbeleven, precies zoals het is gebeurd, voegt zich een misschien nog wel pijnlijkere en ongetwijfeld wredere kwelling, namelijk het feit dat nu, nu het te laat is, op het puntje van zijn tong, klaar
om in actie te komen en de gemartelde oligarch eens flink de waarheid te zeggen, alle antwoorden liggen die hem destijds niet te binnen wilden schieten. Maar met de jaren verliest de scène, ontdaan
van de coördinaten van tijd en plaats waarin die zich heeft afge-
speeld, aan vitaliteit, droogt uit en krimpt, zoals het operatief verwijderde orgaan uitdroogt als het niet snel wordt opgenomen door het
rijkelijk van bloed en zenuwen voorziene weefsel van een nieuw or-
ganisme, totdat het alleen nog maar een heel lichte ergernis is, die
bijna geen ruimte inneemt en niet hoeft te worden verdreven, zozeer
is de vijandige energie afgezwakt, hoewel bij de eerste de beste veran-
dering, zodra er sprake is van de invloedssfeer van een grotere of ac-
tuelere verwarring, opgeroepen door een van die tekens die volkomen onverwacht en onbedoeld het banaalste heden laten rijmen met

een portie gruwelijk verleden, de zijden choker die iemand draagt, een familienaam, de perfect naast elkaar geplaatste rijlaarzen in de etalage van een lederwarenzaak, de scène plotseling, op wonderbaarlijke wijze weer vocht krijgt toegediend en hem opnieuw belaagt, net als toen die ene avond en de volgende avond en de vele avonden daarna. En ook al verafschuwt hij de gemartelde oligarch uit de grond van zijn hart, ook al wordt hij tien jaar later, met de altijd enigszins clowneske felheid van postume wraaknemingen, in hun poging door het vermenigvuldigen van wreedheid en bloeddorstigheid de enige tragedie te herstellen die in feite onherstelbaar is, namelijk het missen van de geboden kans, nog altijd midden in de nacht door woede bevangen wakker, en ook al kiest hij uit de lijst met wraaknemingen die als vliegen om hem heen zwermen – waarvan er een, vermoedelijk ontleend aan een bladzijde uit het werk van de cartoonist Quino, een spotprent die net zo oud is en misschien wel net zoveel invloed op hem heeft gehad als de reeks roddeltantes van Norman Rockwell, er bij hem op aandringt uit te zoeken waar hij woont en hoe laat hij weggaat en thuiskomt, om dan onverwacht bij hem aan te bellen en hem zodra hij de deur opendoet de tanden uit zijn bek te slaan, met het risico, zoals in de spotprent van Quino gebeurt, dat bij het openen van de deur, gegeven de jaren die sinds het voorval verstreken zijn, het slachtoffer dat op het bewuste feest zijn beul was, want zo gaan de dingen nu eenmaal in het leven, zelf weer slachtoffer is geworden en rouwt om een geliefde, of in een terminale depressie verkeert, of ziek is of ten einde raad – ook al kiest hij uit al die wraaknemingen er ten slotte een uit, altijd dezelfde, de wraakneming die hij in de luciditeit van dat ongewenste wakker liggen het wreedste vindt: hem keer op keer, in zijn op hol geslagen fantasie, de krenkende schoonheid onder de neus wrijven van de vrouw die toen bij hem was, de enige echte reden, volgens hem, van de woede-uitbarsting van de ander, uiteindelijk begrijpt hij hoe verkeerd hij eraan doet die idioot die de bedorven resten van zijn foltering in zijn oor giet voor een kunstenaar in de verbittering, een gewetenloze afperser of een beroepspsychopaat te houden, hoe blind hij is als hij, die zich er altijd op heeft laten voorstaan dat hij het geluk de pijn teruggeeft die het zo node mist, niet beseft dat de gemartelde oligarch in feite op dezelfde leest is geschoeid als hij, iemand die hem met gelijke munt betaalt en hem op zijn manier vraagt: *Wat krijgen we nou? Als jij het geluk aan je zijde hebt, bestaat er dan geen argwaan? Als een ander pijn lijdt, rakel je het dan niet op? Als jij het geluk aan je zijde hebt en een ander pijn lijdt, bestaat er dan geen verband tussen geluk en pijn?*

Wie pijn zegt, zegt geheim, zegt dubbelleven. De geur van de dood die opstijgt uit dat wonder van levenskracht dat de conciërge bij de kleedkamer van de tennisclub was, is en zal blijven, is een even duister en duizelingwekkend teken, opent evenveel onbekende deuren als de zuchten die een moeizame liefde in de mond legt van een man die tot de dag van gisteren zijn hoofd alleen kwijtraakt voor een nieuw model Ray-Ban, zijn kalmte slechts verliest wanneer zijn persoonlijke trainer niet komt opdagen, en in paniek raakt wanneer de vrouw in wie hij zojuist is klaargekomen vijf seconden nadat ze hem bevredigd heeft nog naast hem ligt en bovendien van plan is te gaan praten, of als het idee van een geëlektrificeerde metalen punt, oorspronkelijk ontworpen, maar dit terzijde, voor agrarische doeleinden zoals het opdrijven van de koeien naar de slachtplaats, waarmee schokken worden toegediend aan de testikels van een man die zich tot voor kort vooral bezighield met de openbare verkoop van vee, reizen en zeiltochtjes maken op de Río de la Plata met aan dek meisjes in bikini. [...] Hij vindt het prettig dat hij de enige is die die geheime holtes kent. Hij kan zijn luistertalent vervloeken en het opgeven zodra hij het heeft gebruikt, afzien, zoals dat heet, van die vertrouwelijke rol die als hij niet oppast een lotsbestemming wordt, maar niemand zal hem het genot afnemen dat hem doet huiveren elke keer dat iemand zich als een handschoen binnenstebuiten keert, verleid door de beschikbaarheid van zijn oor, dat niet alleen aanwezig is, binnen handbereik, maar ook lijkt te spreken in een eigen, geluidloze taal en te roepen: *Kom op, vertel me, zeg me.*

Waarom wordt hij geen pastoor? Waarom geen psychoanalyticus, chauffeur, schandknaap, receptionist bij een van die hulpdiensten voor zelfmoordenaars die in films de op een dakrand balancerende wanhopigen aan de telefoon met een handjevol passende zinnen ervan af weten te brengen zich in de diepte te storten? *Haal alles naar buiten/ Net als de lente.* Nee, hij is niet van plan munt te slaan uit dat talent dat hij al meteen verafschuwt zodra hij ontdekt dat hij het heeft. Het lied daarentegen slaat hij op als een soort niet opbiechtbare hymne. De walging. Als hij zich ervan bewust wil worden, is het er al, is er al geen weg meer terug: hij begrijpt dat zijn lied, gevoelig als een blok zachte was, waarin alles kan worden afgedrukt wat erbij in de buurt of ermee in contact is geweest en dat daarbij de luisteraar diep raakt en brandmerkt en zowel waarheid als schoonheid belichaamt, in zijn geval een naamloos, afgrijselijk, weerzinwekkend misbaksel is, dat hij niet in het openbaar durft te neuriën maar dat hij onophoudelijk ergens in zijn hart hoort, van waaruit het keer op keer zegt wie hij is, waarvan hij gemaakt is, wat hij kan verwachten. Pastoor niet, geen denken aan – tenzij onder pastoor de parochiepriester wordt verstaan die Nanni Moretti speelt in *La messa è finita*, slachtoffer, martelaar, om precies te zijn, van de aura van begrip, tolerantie en ook scherpzinnigheid die om hem heen hangt, die hem op de een of andere manier in staat stelt te 'promoveren', want het is die gave, zelfs onder pastoors een zeldzaamheid, hoewel die er eigenlijk van nature mee uitgerust zouden moeten zijn, die ervoor zorgt dat zijn superieuren besluiten hem over te plaatsen van de duistere parochie op een eiland in de Tyrreense Zee naar een duistere parochie in de buitenwijken van Rome, een overplaatsing die een uitnodiging lijkt voor zijn ouders, zijn zus en de vriendenkring die hij na jaren weer ontmoet, allemaal aangetast door de tijd, door teleurstelling, ziekte, seksuele verbittering of het verlies van idealen, en een van hen, ex-lid

46

van de Rode Brigades, door de gevangenis, om herhaaldelijk bij hem te komen uithuilen, hem op elk tijdstip van de dag en de nacht om troost te vragen, hem te bedelven onder jammerklachten, twijfels, smeekbedes om een redding die hij noch iemand anders kan of ooit zal kunnen bieden. En ook al viert hij uitbundig de slotscènes waarin de pastoor, die die regen van verzoeken die dag in dag uit op hem neerdaalt spuugzat is en het, zoals dat tegenwoordig heet, 'helemaal heeft gehad', zijn zelfbeheersing volledig verliest en de zus die van plan is abortus te plegen een klap in haar gezicht geeft, de vriend die zich laat afranselen om in een donkere bioscoop lullen zonder gezicht af te zuigen de huid vol scheldt, en de door zijn vrouw verlaten man die besluit zich op te sluiten in zijn woning en de wereld voorgoed te beroven van zijn aanwezigheid overlaadt met verwensingen, ook al geniet hij met volle teugen als Moretti, alleen, zich midden in die kritieke fase hardop afvraagt wie dat stelletje idioten eigenlijk denkt dat hij is om hun vierderangs problemen over hem uit te storten, dan nog vraagt hij zich verontwaardigd af waarom hij dat niet eerder heeft gedaan, waarom het zo lang heeft geduurd voordat hij in woede uitbarstte. Maar dat vraagt híj zich af, die nog nooit, vroeg noch laat, in woede is uitgebarsten en dat ook niet zal doen.

Wat hem scheidt van een pastoor is in feite iets 'diepgewortelds' – een woord dat hij absoluut in geen enkel ander geval gebruikt en waarvoor hij zich, net als voor 'innig', met de grootst mogelijke zorg hoedt, zoals Superman zich zou moeten hoeden voor de twee kryptonieten als de strip, die op die manier beroofd zou worden van zijn motor van het kwaad, daarmee niet het risico zou lopen te verzanden in saaiheid –: een onherroepelijke aversie tegen soutanes, ongetwijfeld afgeleid van zijn weerzin tegen uniformen in het algemeen. Het is niet zozeer het communistische aspect, van gelijkheid en het onmiddellijk herkenbare van gelijkheid, want dat bevalt hem wel en zou hij zelfs vaker gebruikt willen zien in het dagelijks leven, maar juist het aspect van vermomming, van een masker, de belofte of beter gezegd de evidentie van een dubbelleven dat erachter schuilgaat, of het nu uniformen zijn van pastoors, politieagenten, militairen, kassières van supermarkten of scholieren. Ze worden ontworpen om zonder misverstanden betekenis te geven, om de boodschap die ze overdragen eenvoudig, direct en ondubbelzinnig te laten zijn, wat niet wegneemt dat ze voor hem synoniem zijn met dubbelhartigheid, lokaas, valstrik. In elke geüniformeerde ziet hij niet één persoon maar twee personen, minstens twee en bovendien in strijd met elkaar, een die veiligheid belooft en een ander die steelt en verkracht onder bedreiging van een vuurwapen, een die de grenzen van het vaderland bewaakt en een ander die plundert en verwoest met de kokarde op de borst, een die zegent en troost biedt en een ander die zich in de biechtstoel laat aftrekken door misdienaren, een die glimlacht en professioneel de kassa bedient en een ander die producten toevoegt die niemand heeft gekocht, en van die twee is er een, de geheime, die zich verbergt achter het olijfgroen, de rangorde, het priesterboord, zelfs de choker en het tweedjasje en de rijlaarzen van de gemartelde oligarch, die, waarschijnlijk afwezig in een officiële uniformencatalogus, vast een dubbele middenpagina in beslag zouden nemen in een willekeurige catalogus voor de gebruiken en gewoontes van de Argentijnse hogere klasse, en dat is de persoon die hij vreest, maar niet zozeer vanwege wat die hem kan aandoen, want, reeds gewaarschuwd door het onderscheidingsteken van het uniform, weet hij van tevoren welke aas er in zijn mouw verborgen zit en hoe die te vermijden, als wel omdat op een of ander moment, vroeg of laat, die heimelijke dubbelganger hem zal zien, herkennen, op zijn schouder tikken en hem, alleen hem, zal opbiechten wat hij op zijn hart heeft.

[…] Hoe ironisch het ook klinkt, terwijl hij verkleed als Superman het glas van de balkondeur op de vierde verdieping van de calle Ortega y Gasset aan gruzelementen rent, zijn beneden, op straat, die hij zich mettertijd in zwart-wit begint te herinneren, met bladerloze bomen waarvan de witgekalkte stammen, als die van een door een plaag getroffen dorp, op regelmatige afstanden het trottoir afbakenen, de weinige mensen die hij daar ziet lopen, die auto's in- en uitstappen, of gebouwen binnengaan en verlaten die, afgezien van een enkel detail, alleen herkenbaar voor wie al jaren in de wijk woont, praktisch identiek zijn, allemaal in uniform. Logisch: het zijn militairen, zoals de wijk en de bouwkundige die de gebouwen heeft ontworpen militair zijn, evenals de meeste straatnamen en het op een hoge rivieroever gebouwde ziekenhuis waar, met een geraas dat hij ondanks het feit dat het niet de eerste keer is dat hij het hoort en van zijn moeder weet waar het vandaan komt, aanvankelijk steeds hardnekkig toeschrijft aan een of andere natuurramp zonder overlevenden, op gezette tijden helikopters landen die hij zich voorstelt vol bloedende soldaten, zoals ook de jeeps en de vrachtwagens militair zijn, en zelfs de personenauto's die heel af en toe in de straat verschijnen, herkenbaar aan die overdadige hoeveelheid patriottische bumperstickers, en de voormalige eigenaar van het appartement waar hij woont, een piloot van de luchtmacht die zijn grootvader leert kennen op een groepshuwelijksreis – een middel dat in die tijd, halverwege de jaren dertig, wordt ingezet om, ten minste gedurende de eerste weken die volgen op de bruiloft, het kankergezwel te verhullen dat destijds impliciet in elk huwelijkscontract is opgenomen: verveling – een vliegenier met wie hij al snel bevriend raakt, die hij helpt bij de financiële problemen waarin hij door een nooit volledig opgehelderde ondeugd, gokken, vrouwen, smerige zaakjes, verzeild is geraakt, en die hem ten slotte, als het duidelijk is dat hij de lening niet zal kunnen terugbetalen in de vorm waarin hij die heeft ontvangen, geld, omdat het gokken, de vrouwen, de smerige zaakjes of wat het ook maar is dat hem zo diep heeft doen zinken, hem nog altijd in een stevige greep houdt, in één keer schadeloosstelt met dat driekamerappartementje dat de strijdkrachten, zoals hij zijn werkgever noemt, hem tegen zeer gunstige voorwaarden hebben verkocht toen hij trouwde en dat hij, omdat het te klein is voor de, te hoge, pretenties van een vliegenier, nooit heeft gebruikt, en zoals ten slotte schijnbaar ook de buurman met het fijne snorretje en het gemillimeterde haar militair is, die, gealarmeerd door het lawaai van het brekende glas en het geschreeuw van zijn moeder en zijn grootouders, die de kleine Superman al volledig verminkt voor zich zien, meteen bij ze aanbelt en als zijn grootmoeder de deur opendoet, nog naschuddend van het hysterische lachen nadat ze heeft vastgesteld dat er als door een wonder niets is gebeurd, zonder om toestemming te vragen met drie grote soepele stappen het huis binnengaat en op de drempel van de woonkamer blijft staan om, zoals hij zelf meedeelt, zijn hulp aan te bieden, maar ook om met eigen ogen te verifiëren welke gebeurtenis hem heeft kunnen losrukken uit zijn middagslaapje, wat duidelijk blijkt uit de witte singlet en het openstaande groene overhemd, de inderhaast dichtgeknoopte broek en de piepkleine blote voeten.

En zoals hij later, na het verstrijken van de jaren die de puinhopen van het verleden nodig hebben om een verhaal te onderbouwen dat altijd over een ander gaat, de foto's van die middag ziet, genomen door zijn grootvader om de pas gekochte camera uit te proberen, en de in het oog springende onvolkomenheden van het Supermanpak hem een schaterlach ontlokken, niet alleen de fabrieksfouten, de losgetornde zoom die bij het lopen achter hem aan sleept en waar hij soms met zijn blote hiel op trapt, de te zichtbare knopen, de open naden onder de oksels, de ruimvallende stof die lubbert rond zijn borst, maar ook de schade die hijzelf heeft veroorzaakt door in de twintig minuten dat hij bezig is met uitpakken een mouw achter een van de hoeken van de doos te haken en met een nies van chocolademelk de overigens slecht ontworpen 'S', die om zijn borstspieren zou moeten spannen, te besproeien, zo is hij, maar dan omgekeerd, elke keer als hij de straat op gaat om met zijn driewielertje te patrouilleren en een stel militairen tegenkomt, minimaal twee, want een of andere hem onbekende wet schijnt te verbieden dat militairen in hun eentje lopen, stomverbaasd over de volkomen onberispelijke aanblik die hun uniform biedt, zowel van voren, wanneer ze op hem toelopen, als van achteren, wanneer hij ophoudt met trappen en omkijkt, gestreken, schone uniformen zonder kleurverschillen, perfect passend en fonkelnieuw, alsof ze rechtstreeks afkomstig zijn, niet uit de stomerij, want dat zou hoe dan ook een of ander spoor hebben nagelaten, maar uit het naaiatelier waar ze zijn gemaakt. Het keurige kapsel, de pet precies zoals hij hoort te zitten, de glimmend gepoetste schoenen, het donkere koffertje op de juiste hoogte en altijd in de pas, alles veroordeelt militairen tot een parodie, tot marsepein, tot de argeloosheid van poppetjes op een taart. Maar voor hem zijn ze – twee aan twee en dicht bij elkaar, tegelijk uniek, want burgers schitteren door afwezigheid in de wijk, én te dun gezaaid, alsof ze, exemplaren van een uitgelezen of met uitsterven bedreigde soort, verspilling koste wat het kost willen voorkomen –, voor hem zijn ze zo nieuw dat ze hem doen denken aan de aliens uit de tv-serie *The Invaders* wanneer die een menselijke vorm aannemen, de enige, voor zover hij zich kan herinneren, waarin ze verschijnen, want als ze al een andere, originele vorm hebben, de vorm die ze naar hij aanneemt hebben meegenomen van de planeet waar ze vandaan komen, dan heeft hij die nooit gezien. Die vorm blijft *The Invaders* hem schuldig. En die schuld, die de serie aflevering na aflevering hernieuwt, is naast de hulpeloze uitstraling van David Vincent – held van een verhaal dat welbeschouwd maar over één probleem gaat, de hoop, hoe die te koesteren en weer te verliezen, hoe die nieuw leven in te blazen, en dat als een axioma aanneemt dat hoop alleen maar een aftreksom is, een restant dat op zijn felst schittert wanneer het naar nul neigt – misschien wel wat hem er het meest toe aanzet elke middag als hij thuiskomt uit school de dringendste verplichtingen uit te stellen om een halfuur lang weg te dromen voor de televisie.

[…] Hij zet zijn driewieler in positie, gaat zitten, en als hij zijn voet op de trapper laat rusten, de voet die op zijn vierde, vierenhalf, tot schaamte van zijn moeder en grootmoeder, die elke keer dat ze verrast worden door dit vroegrijpe meesterwerk van de misvormdheid hun eigen voeten onder het bijzettafeltje verbergen, al begint te verzakken door de druk van de voetknokkel, kijkt hij naar de verlaten straat en snuffelt, als een kat, iets op in de lucht. Hij kijkt omhoog om te zien wat er gebeurt. Er beweegt niets. Het waait, een aangenaam briesje maakt het haar in de war dat zijn grootvader altijd zo graag wil laten knippen om het op de glimmende vloer van een herenkapper op een hoopje te zien liggen, maar de weinige bladeren die nog weerstand bieden hangen roerloos aan de takken van de bomen, als rekwisieten. Hij laat zijn blik zakken tot het niveau van de driewieler en ziet de militairen samen aankomen, zo eensgezind dat hun manier van lopen wel geoefend lijkt. Ze exerceren. Ze zijn altijd op missie. Er is iets zombieachtigs aan de mechanische zuiverheid van hun gebaren, het ontbreken van aarzeling, de vastberadenheid waarmee ze bewegen. Het is niet zo dat ze niet opletten: onoplettendheid, net als onder water ademen voor vogels, behoort niet eens tot hun mogelijkheden. Wie zijn ze? Waar komen ze vandaan? Eerder dan uit een huis, met zijn verwarmde woonkamers, zijn half opgeruimde slaapkamers, zijn badkamers die nog vochtig zijn van het douchen, eerder dan uit een kantoor, met zijn draaistoelen, zijn bakelieten jaloezieën, zijn vaste vloerbedekking, stelt hij zich voor hoe ze twintig minuten tevoren zijn opgedoken uit de glazen capsules waarin ze de hele nacht hebben gehiberneerd en die, in werking gesteld door wie weet wat voor centraal brein, plotseling openklappen met een klakkend geluid dat overgaat in een zucht, een geluid dat veel lijkt op het geluid dat de lijnbussen, geen *otoboesen*, jaren later maken als ze remmen en stoppen – dezelfde capsules, een combinatie van oude haardrogers en doorzichtige liften, waar de indringers uit *The Invaders* in een toestand van levenloosheid de tijd doorbrengen die ze niet bezig zijn met het controle krijgen over wapenfabrieken, zich meester maken van televisiekanalen of zich nestelen in de lichamen van strategisch belangrijke aardbewoners. [...] Zodra iets de plannen die de militairen moeten uitvoeren doorkruist, en 'iets' kan van alles zijn, een zwerfhond die onder het gekartelde afdak van de jeep gaat liggen slapen, een portier die ze ziet aankomen en doorgaat met het schrobben van de stoep, hijzelf, met zijn driewieler en de vrouw die op hem past, elk obstakel dat met vijandelijke bedoelingen wordt neergelegd op de route die getekend staat op de kaart die ze in vieren gevouwen in een van de zakken van hun smetteloze uniform hebben opgeborgen, zijn de verbazing, de verwarring en de ergernis die ze voelen, en de onmiddellijke reacties waaraan ze zich blootstellen, nauw verwant met de vonk van ongenoegen, en de daaruit voortvloeiende misdadige vastberadenheid, die opgloeit in de aliens als iemand ze laat merken, bijna altijd per ongeluk, dat hij weet dat ze niet zijn wat ze lijken.

Hoelang duurt het voordat hij beseft dat het bij hem net andersom is, dat al bij die 'hem', die als hij de aliens ziet aankomen naar de vrouw kijkt die op hem past en zijn voet roerloos op de trapper houdt, zo roerloos dat hij kramp krijgt, eerst de fictie komt en daarna pas de fletse, ver verwijderde werkelijkheid? Dat verklaart ook waarom hij, net als met het afwijzen van de keuze voor pastoor, de keuze voor schandknaap verwerpt bij het uitbuiten van zijn vermogen om te luisteren. Als het om schandknapen gaat moet je Puig hebben, denkt hij. De schrijver Manuel Puig, die het niet kon uitstaan dat de werkelijkheid zo ver weg was, die er zo snel mogelijk wilde komen, door een stuk af te snijden via de weg van de fictie, zijn enige echte intermezzo. Híj gebruikt fictie net andersom, om de werkelijkheid op afstand te houden, om iets tussen hemzelf en de werkelijkheid te plaatsen, iets van een andere orde, iets wat, indien mogelijk, op zichzelf al een andere orde is. Daar komt alles, of bijna alles, uit voort: lezen nog voordat hij kan schrijven, tekenen nog voordat hij weet hoe je een potlood vasthoudt, schrijven zonder het alfabet te kennen. Allemaal om maar niet dichtbij te zijn. (Vroegrijpheid, heeft hij meer dan eens gedacht, zou dan alleen een dialect zijn van deze obsessie voor het indirecte.) In tegenstelling tot wat hij vermoedt dat er gebeurt in veel van de zwart-witfilms die hij elke zaterdagmiddag, terwijl zijn moeder een soort eeuwige roes uitslaapt, op televisie ziet, waarin de buitenaardse wezens, wier verschijning altijd voorafgegaan wordt door het onheilspellende geloei van de theremin, symbool staan voor de communistische invasietroepen, zijn voor hem de militairen het symbool van de buitenaardse wezens, zoals het ziekenhuis op de hoge rivieroever de metafoor is voor het laboratorium waar hun organismen worden geregenereerd, en de jeeps, tanks en rupsvoertuigen de aardse belichaming zijn van vervoermiddelen zo geavanceerd dat de menselijke verbeelding niet in staat is ze te bevatten. Maar zo ver hoeft hij niet eens te gaan, hij heeft genoeg aan de uniformen. Nooit zelfs maar een kreukje, een vlekje, een dubbelgevouwen revers. Hoe is dat mogelijk?

Op een van die zeldzame middagen waarop zijn moeder, als gevolg van een nacht zonder nachtmerries of een zorgvuldig samengestelde cocktail van medicijnen, tot zijn verbazing besluit hem zelf mee te nemen op een wandeling naar het plein, stapt hij in de kleine lift en probeert het zich zo goed en zo kwaad als het gaat gemakkelijk te maken in het hoekje dat nog vrij is. Het is een miniem stukje ruimte, ingesloten tussen de deur en de driewieler, die zijn moeder, die maar één keer eerder met het voertuig heeft hoeven worstelen, namelijk op de dag dat zijn grootouders er onverwacht het appartement mee komen binnenvallen en iemand – iemand die niet zijn grootvader kan zijn, omdat die de gewoonte heeft zijn bescheiden aandeel in gulheid helemaal op te gebruiken aan het ding dat hij cadeau geeft en zich daarna te beperken tot het gadeslaan van alle vermoeiende handelingen bij het uitpakken ervan, alsof die niet langer onder zijn jurisdictie vallen – het op zich moet nemen het te bevrijden uit de blokken piepschuim waarmee het is vastgezet en het uit de doos te halen, pas na wat moeizaam geduw en getrek het nauwe hokje heeft weten binnen te krijgen, en dit dan ook nog op de onhandigste en meest oneconomische manier: door het er overdwars in te zetten, waardoor de liftcabine verdeeld wordt in twee driehoeken van zeer geringe afmetingen. Zijn moeder, die nog geen voet op straat heeft gezet of het is al aan haar gezicht af te lezen dat ze er alles voor over zou hebben terug te gaan naar bed, opnieuw haar nachthemd aan te trekken, de jaloezieën te laten zakken, nog een pil te nemen en te slapen tot het avond wordt, sluit dus de traliedeur en drukt op de knop begane grond als van buitenaf plotseling een hand binnendringt die de deur opentrekt en de lift die net in beweging is gekomen, tegenhoudt. Het is de buurman, de militaire buurman. Hij verontschuldigt zich en stapt naar binnen, gehuld in een ijskoude wolk parfum, een van die goedkope geurtjes die alleen met de nodige goede wil, of omdat ze tegelijk verschijnen met een menselijk lichaam en niet in een lege betegelde ruimte, niet verward worden met de luchtverfrissers die je meestal inademt in wc's van openbare gelegenheden. Hij is in uniform, hoe kan het ook anders, en alleen het uniform, op het eerste gezicht schoon, gestreken en onberispelijk, net als alle uniformen waarmee hij op straat diens dubbelgangers van Alfa Centaur ziet pronken, kan ervoor zorgen dat hij zijn ogen afwendt van de plek waar die sinds een paar seconden strak op zijn gericht: de donkere spleet die zojuist te dicht bij zijn voetjes is ontstaan door het niveauverschil tussen de vloer van de overloop en die van de lift, een spleet waar zijn lichaam volgens hem probleemloos in zou passen en waarlangs hij zich al, als een menselijk muntstuk, in de afgrond ziet glijden. Ze gaan in de lift naar beneden, zijn moeder en de buurman samen aan de ene kant van de driewieler, hij aan de andere kant, terwijl het traag ronddraaiende voorwiel langs zijn pony scheert, en hij maakt gebruik van het moment dat zijn moeder en de buurman een paar formele woorden wisselen – waarbij echter ook meteen duidelijk is hoeveel ze er allebei van zichzelf in leggen, veel meer in elk geval dan de aard van het gesprek van hen verlangt, zijn moeder ongetwijfeld met de bedoeling een eerzaamheid te verdedigen waarvan ze meent dat die is aangetast door haar positie als gescheiden jonge vrouw die de verantwoordelijkheid heeft voor een kind, de militair, wie weet, misschien omdat hij haar begeert, misschien omdat hij zich afvraagt wie die gescheiden jonge vrouw met de verantwoordelijkheid voor een kind toch is, een vrouw die alleen naar jazz luistert, zich volgens de laatste mode kleedt en geen oog dichtdoet zonder slaappillen, misschien omdat hij ook iets te verbergen heeft – om het uniform van de buurman van boven tot onder te onderzoeken. Opnieuw dezelfde fascinatie, verbijstering, stomme verbazing bij het zien van die effen, homogene stof, zonder enige ongerechtigheid, waarbij het alleen bij hem opkomt de gladheid ervan, die niet van deze wereld is, te vergelijken met die van de opbouw van metaal, vooropgesteld natuurlijk dat er op Alfa Centaur metaal is, van de ruimteschepen waarin de buitenaardse indringers reizen. En toch, bij de tweede of derde inspectie worden zijn ogen, na omhoog en omlaag te zijn gegleden, verrast door een dissonantie, iets wat geluid lijkt te maken in de zoom van het jasje, daar waar de slanke, glimmende en duidelijk gemanicuurde vingers van de buurman zich keer op keer openen en sluiten rond een sleutelbos. De voering van het jasje heeft losgelaten en een slappe tong stof komt onder de zoom uit.

Vanzelfsprekend verandert dit alles. Want als het kleinood van het uniform al een signaal is van onechtheid, van valse schijn, wat zal een uniform waar iets mis mee is dan wel niet zijn? Hij kan het niet geloven. Hij heeft het idee dat zijn hoofd uit eigen vrije wil nee begint te zeggen, zonder dat hij daar opdracht toe heeft hoeven geven. Ze zijn nog steeds op weg naar beneden. De wolk parfum, die eerder ter hoogte van het hoofd en de schouders van de militaire buurman hing, waar het kennelijk een paar minuten geleden op was gesproeid, is zich aan het verspreiden en begint als een mierzoete deken op hem neer te dalen, een kleverige mengeling van munt en bloemen en Patagonische bossen, en ook al klemt hij lippen en kaken stijf op elkaar, meer door het ongeloof dat de onvolkomenheid van het uniform bij hem teweegbrengt dan om zich te beschermen tegen de walm, ten slotte komt die toch in zijn mond terecht en laat duizenden ragfijne, bruisende belletjes tegen zijn gehemelte uiteenspatten. De losgelaten voering zweeft ter hoogte van zijn ogen, lichtjes bewogen door het nog altijd draaiende voorwiel van de driewieler, zo dichtbij, denkt hij, en zo scherp, dat het bijna is alsof hij die zelf heeft losgetornd. Hij is opeens bang dat ze hem de schuld zullen geven. Hij besluit niet meer te kijken, wendt zijn blik af en richt zijn ogen op de punten van zijn eigen schoenen, waar het zwarte leer slijtplekken vertoont. Tussen de derde en tweede verdieping wordt de vlaag parfum in zijn mond dikker en stolt in zijn keelopening: een stroperige, nog altijd kneedbare massa, net als de pasta die een tandarts een keer aanbrengt over zijn tanden om een afdruk van zijn gebit te maken, maar die binnen een paar seconden hard en droog wordt als steen. Hij heeft al snel het gevoel dat hij stikt. Als ze op de begane grond aankomen moet hij kokhalzen, eerst heel hevig en dan nog drie, vier keer kort achter elkaar, wat ten slotte, meteen nadat de militaire buurman die voorziet wat er gaat komen, haastig de liftdeur heeft geopend, uitmondt in het verbazingwekkendste overgeven dat hij ooit van zijn leven heeft meegemaakt.

Het is niet zijn moeder die de teugels van de noodsituatie in handen neemt, altijd bezorgder om het sociale aspect van een dergelijk voorval – schaamte tegenover de buurman, de reactie die het besmeuren van de hal ongetwijfeld bij de huismeester zal losmaken, de verlegenheid waarin ze gebracht wordt doordat ze hulp krijgt en nu bij iemand in het krijt staat, niet zozeer omdat ze die hulp aanvaardt, want alles gebeurt zo snel dat er niet eens tijd is om aan te bieden of te aanvaarden, maar omdat ze die niet afslaat – dan om het moeder- kind- of medische aspect. Het is niet zij, die er alleen in slaagt een reeks weinig overtuigende stuiptrekkingen voort te brengen, zich naar hem over te buigen, met een van afkeer vertrokken gezicht weer overeind te komen, iets in haar handtas te zoeken, een zakdoek, een krant, een geneesmiddel, iets wat ze kennelijk niet bij zich heeft en wat bovendien niet zou helpen maar simpelweg haar idee van hulp weergeeft in een abstracte, afstandelijke wereld, de enige waarin ze zich in een helpende rol kan voorstellen, maar de militaire buurman, die zonder aarzelen zijn perfect gestreken broek in gevaar brengt, naast hem neerknielt, terwijl hij weerspiegeld in de vloertegels naar adem ligt te happen, hem voorzichtig onder zijn oksels pakt en hem aanspoort door te gaan, nog een keer over te geven, zo vaak als nodig is, zegt hij, net zo lang tot hij zich weer wat beter voelt, en de woorden die hij gebruikt om hem moed in te spreken, zoals hijzelf, te zijner tijd, tot zijn eigen verbazing moet erkennen, doorkruisen als pijlen de tijd en klinken door in de woorden die op een avond, in de pub in Belgrano, de met zijn vader bevriende protestzanger met zijn inheemse gitaartje zingt en die hem recht in het hart raken. Binnen tien seconden is zijn lichaam kletsnat van het zweet, heeft hij het ijskoud en begint te rillen. Zodra de buurman ziet dat hij niet meer hoeft over te geven, gaat hij op de grond zitten, trekt zijn benen in en legt hem in de geïmproviseerde wieg van zijn dijen. Hij laat hem begaan, al zou hij zich het liefst verzetten, zich losmaken uit die onbekende armen die hem nu, in contact met zijn lichaam, verrassend mager en teer voorkomen, en op een gegeven moment, terwijl hij van de harde vloer wordt overgeheveld naar het door de benen van de buurman gevormde bedje, kijkt hij vanaf zijn lage positie zelfs even naar zijn moeder om haar duidelijk te maken, niet door te praten, want hij is bang dat als hij zijn mond opendoet alles weer van voor af aan begint, maar via een of ander niet uitgesproken maar veelzeggend teken, dat als hij zich niet verweert, als hij zich laat meevoeren en de hartelijkheid van de onbekende accepteert, dit niet is omdat hij dat zo graag wil of daartoe heeft besloten, maar alleen omdat hij de kracht niet heeft iets anders te doen. Het is in elk geval niet zijn moeder die hij ziet als hij zijn ogen opslaat, of hij herkent haar tenminste niet als zodanig in de vrouw die, hoewel net zo gekleed als zijn moeder en genoeg op zijn moeder lijkend om voor haar door te kunnen gaan, heel even naar de waaier van braaksel kijkt die op de vloer ligt uitgespreid, haar gezicht vertrokken in een grimas van ergernis, en na twee keer geluidloos iets te hebben gezegd, een zin die hij ontcijfert door lip te lezen, *Wat afschuwelijk, wat afschuwelijk,* bijna toonloos meedeelt, alsof ook zij elk moment kan gaan overgeven, dat ze even naar boven gaat om een dweil te halen, waarna ze haastig naar de lift loopt en hem in de armen van de onbekende achterlaat.

[…] Hij heeft aan de vingers van allebei zijn handen niet genoeg om te tellen hoe vaak hij geprobeerd heeft zijn moeder aan het voorval te herinneren en zij hem verbaasd heeft aangekeken, met een soort afwezige verbouwereerdheid of zelfs verontwaardiging, alsof ze in zijn vasthoudendheid om het tafereel weer in herinnering te roepen niet zozeer oprechte weetgierigheid zag als wel het koppige verlangen haar met iemand anders te verwarren. 'Dat was niet met mij,' zegt ze, en hoewel ze daarmee in wezen, op haar manier, de vreemde indruk bevestigt die hij van haar heeft op het moment dat hij in hal van het gebouw naar haar kijkt en haar niet herkent, is het feit dat ze steeds weer ontkent erbij te zijn geweest en hem zo zelfs de kans ontneemt dat ze ook maar enig geloof hecht aan wat hij zegt, dat ze haar best wil doen haar geheugen op te frissen, al genoeg om hem tot wanhoop te drijven. Niet dat híj zich veel herinnert. Maar is dat niet juist de reden, omdat de sporen die het voorval bij hem, kind, zwak, ziek, heeft achtergelaten vaag en onzeker zijn en ternauwernood soortnamen toelaten als 'buurman', 'appartement', 'middag', even relevant om die gebeurtenis in herinnering te roepen als elke andere, is dat niet juist de reden waarom hij er zo'n behoefte aan heeft zijn moeder ja te horen zeggen, dat ze toegeeft dat ze erbij was, en dat ze samen met hem probeert het tafereel te reconstrueren? Eerlijk gezegd herinnert hij zich bijna niets; het weinige dat er nog rest vervaagt mettertijd, door zijn eigen onachtzaamheid, door de systematische ontkenningen van zijn moeder. Elke keer als ze tegenspreekt dat ze erbij was, laat staan als ze ontkent dat het voorval zelfs maar kan hebben plaatsgevonden, voelt hij dat hij een vitaal onderdeel van het tafereel kwijtraakt, niet een van de onderdelen die hij al kent, hoe weinig dat er ook mogen zijn, maar een nieuw, nog vaag maar veelbelovend onderdeel, waaruit hij misschien alle ontbrekende zou kunnen afleiden, maar dat door het onfeilbare zwijgen van zijn moeder onmiddellijk terugkeert naar het schemerdonker waaruit het net begon op te doemen. Het enige wat hij zich herinnert is eigenlijk het laatste, dat wat er gebeurt een fractie van een seconde voordat hij in de armen van de buurman in slaap valt. Heel zachtjes maar direct in zijn oor, dat zich, omdat zijn lichaam op diens benen rust, in ideale positie bevindt, is de buurman begonnen te zingen, heeft hij besloten hem met een kinderliedje in slaap te sussen, en terwijl hij zingt heeft hij zijn ijskoude handen gepakt om die warm te wrijven, natuurlijk zonder erbij stil te staan dat hij op zijn vingertoppen die verticale rode groefjes zou aantreffen, die niet onopgemerkt blijven, die hij van dichtbij bekijkt en voorzichtig met de toppen van zijn vingers streelt, alsof alleen hetzelfde door hetzelfde kan worden herkend en genezen, totdat hij geschrokken en beschaamd, met zijn laatste krachten, zijn vingers terugtrekt voordat hij zich overgeeft aan het liedje en in slaap valt.

Op 11 september 1973, als hij op bezoek is bij een twee jaar oudere vriend, een van die ongelijke vriendschappen waarin hij altijd gespecialiseerd is geweest en zal zijn en waarbij hij steeds de jongste is, verlaat hij de kamer om een portie onweerstaanbare marmercake te gaan halen en als hij terugkomt, met vier officiële plakjes op het bord en twee clandestiene in zijn maag, ziet hij tot zijn verbazing zijn vriend op de rand van het bed zitten, ontroostbaar huilend voor het scherm van de zwart-wittelevisie waarop uit alle ramen van het presidentiële paleis in Santiago rook opstijgt, nadat het in de loop van de dag vier keer is gebombardeerd door squadrons vliegtuigen en helikopters van de luchtmacht, terwijl de bedrukte stem van een nieuwslezer het gerucht herhaalt dat Allende – de nog altijd zittende president Salvador Allende, zoals ze hem noemen, wie weet uit sympathie, uit juridische berekening, in de zin dat Allende niet ophoudt president van Chili te zijn als het paleis dat de zetel van zijn macht was, door militair vuur in de as wordt gelegd, maar pas wanneer er een ander is die zijn plaats inneemt, of simpelweg uit achterdocht, uit professioneel wantrouwen tegenover een gerucht dat door de hardnekkigheid waarmee de nieuwslezer het verspreidt alleen maar des te sterker lijkt te worden tegengesproken – zelfmoord zou hebben gepleegd, na zich in het paleis met zijn naaste medewerkers te hebben verschanst, door een kogel in zijn mond te schieten met de AK-47 die hij ooit cadeau had gekregen van Fidel Castro. Hij ziet hem huilen, en voordat hij volledig begrijpt waarom hij huilt, voordat hij alles wat hij weet van de politieke overtuigingen van zijn vriend – die veel op de zijne lijken maar, zo is de indruk die hem altijd heeft gekweld, veel overtuigender zijn, zelfs zoveel dat sinds hij hem kent en vertrouwd is met zijn politieke standpunt, zoals ze allebei datgene noemen wat je in die tijd verplicht bent te hebben, wat niemand zich kan permitteren niet te hebben, hij zich altijd op een of andere manier een oplichter heeft gevoeld, een fletse dubbelganger van zijn vriend, de huichelaar die in een zouteloze taal die wemelt van de automatische reflexen en tweedehands formuleringen, herhaalt wat uit de mond van zijn vriend lijkt op te wellen als de natuurlijke taal van de waarheid – in verband heeft gebracht met de beelden die hij ziet, beelden die aantonen dat zijn politieke overtuigingen zojuist de doodsteek hebben gekregen, voelt hij zich overspoeld worden door een golf van afgunst die hem letterlijk de adem beneemt. Hij zou ook willen huilen. Hij zou er alles voor overhebben als hij kon huilen, maar hij kan het niet. Daar, staande in de kamer van zijn vriend, terwijl hij halsoverkop de tragedies oproept, allemaal denkbeeldig, waarop hij vertrouwt om de zegen van een onmiddellijk en intens verdriet te ontvangen, beseft hij dat hij niet zal huilen. Hij weet niet of het de beelden zijn, die om een of andere reden niet zo hard of zo diep of zo scherp bij hem aankomen als bij zijn vriend, of het feit dat hij twee jaar jonger is, wat hem weliswaar een zeker aanzien geeft – omdat die twee jaar hem tot een voorbeeld maken van een traditie van politieke vroegrijpheid, de communistische, die al kan bogen op een lange lijst van vooraanstaande voorbeelden, dat wil zeggen: iemand die op zijn dertiende leest en begrijpt en zelfs gefundeerde bezwaren aanvoert tegen bepaalde klassieken van de politieke literatuur die de meest doorgewinterde activisten in het nauw zouden drijven –, maar hem in zekere zin ook verzwakt, zijn fysieke of emotionele vermogen vermindert om de politiek te ervaren die bij zijn vriend, op zijn vijftiende, al volledig ontwikkeld is. Of is het in werkelijkheid soms zo dat de aanwezigheid en het verdriet van zijn vriend, gezeten voor de televisie, met zijn gezicht, bijziend als hij is, bijna tegen het scherm gedrukt, de betekenis en de kracht van de informatie die het apparaat uitstraalt zodanig absorbeert dat er voor hem niets meer overblijft, nog geen restje of zelfs maar een kruimeltje ter grootte van de kruimeltjes die hij zojuist heeft achtergelaten in de keuken bij het naar binnen werken van de twee plakjes marmercake, niets wat hem kan raken en in staat is alles wat hij begrijpt – want hij begrijpt alles en ongetwijfeld ook nog veel beter dan zijn vriend, aan wie hij diezelfde morgen, om maar een voorbeeld te noemen, nog in drie of vier achteloze, schaamteloos heldere zinnen de keten van oorzaken en gevolgen heeft uitgelegd die een ordinaire staking van vrachtwagenchauffeurs verbindt met de ineenstorting van de duizend dagen van het eerste experiment van democratisch socialisme in Latijns-Amerika – te vertalen in de laatste of eerste taal van de gevoelens? [...] Hij is jaloers, natuurlijk, jaloers op het onbedwingbare van het huilen en het hele circus eromheen, de bloedrode ooghoeken, de vlekken in zijn gezicht, het wilde gesnik dat zijn vriend doet schokken, de ontroostbare razernij waarmee hij in zijn handen wrijft, de manier waarop hij af en toe zijn gezicht bedekt om een nieuwe tranenvloed te onderdrukken of misschien juist te stimuleren. Maar wat hij nog het meest benijdt, is hoe dichtbij zijn vriend is bij de beelden die hem aan het huilen maken – zo dichtbij dat je bijna zou zeggen dat hij het scherm aanraakt met het puntje van zijn neus, de brandende gevel van het presidentiële paleis met zijn voorhoofd, de rookpluimen die opstijgen uit de ramen met zijn schrale lippen, zo dichtbij dat hij, die naar hem staat te kijken met het bord marmercake in zijn hand, zich begint af te vragen of een traan, een van de duizenden tranen die zijn vriend, alsof hij geld aan het tellen is voor de ogen van de armen, onophoudelijk vergiet, hem niet zou kunnen elektrocuteren als die contact zou maken met het televisiescherm.

Hij kan het niet uitstaan. Waarom is hij niet zo dichtbij? Wat scheidt hem van dat wat hij zo goed begrijpt, wat hij beter begrijpt dan wie ook? Hij heeft het gevoel dat de wereld nooit eerder zo onrechtvaardig is geweest: alleen híj heeft het recht om te huilen, maar zijn ogen zijn zo droog dat als hij er met een lucifer langs zou strijken die spontaan zou ontbranden. En het is datzelfde recht waarvan hij het gevoel heeft dat het hem wordt onthouden, hém, die aan meer voorwaarden voldoet om het te verdienen dan wie ook, dat hij in de ander, in zijn tot tranen toe geroerde vriend, ziet en herkent en dat hij bovendien, met het bord marmercake in zijn hand, gedwongen is te aanschouwen als een aan de verkeerde toegekende onderscheiding, hetzelfde soort schaamteloze privilege waartegen naar hij vermoedt de boeren in de middeleeuwen, als ze er genoeg van hebben, dat wil zeggen, hoogstzelden, in opstand komen en in een paar uur van razernij een slachting aanrichten onder de familie van edelen wier voeten ze gewoon zijn elke dag te kussen. Op 11 september 1973 –vierentwintig uur voordat hij en zijn vriend, die bij het zien van het brandende presidentiële paleis besluiten zich voor de televisie te installeren en, net als Allende zelf, daar op het scherm, in het paleis, stand te houden en niet eerder van hun plek te komen dan dat ze onweerlegbare informatie hebben gekregen over het lot van Allende, van zijn naaste medewerkers en van de Chileense weg naar het socialisme in het algemeen, getuige zijn van het onvergetelijke moment waarop twee rijen brandweermannen via Morandé 80, een van de zij-ingangen van het tot puin geschoten paleis, het levenloze lichaam van Allende, toegedekt met een *chamanto*, zoals hij en zijn vriend dan vernemen dat die poncho in Chili heet, naar buiten dragen en zijn vriend opnieuw in huilen uitbarst en hij er daarentegen niets, geen druppeltje, nog geen armzalig traantje uit weet te persen en zelfs niet in staat is zijn ogen te sluiten – op die noodlottige dag vervloekt hij ook die andere noodlottige dag, zeven jaar eerder, waarop hij besluit niet meer toe te geven, zijn vader dat plezier niet meer te doen en voorgoed op te houden met huilen.

Opnieuw de tennisclub. Er is iets met hem gebeurd. Niet iets 'reëels', iets 'uit de wereld', maar zo'n plotselinge, angstaanjagende knoop die zo nu en dan in zijn borst ontstaat, knopen die hun lading giftige inkt lozen en alles lijken op te willen zuigen, bloed, zuurstof, organen, hart, vooral hart, als een verslindende afvoer die hem, als er niet iets wonderbaarlijks, iets waarvan hij nooit te weten komt wat het is, zou zijn wat het plotseling tegenhield, helemaal zou opslokken en in zijn plaats, aan het oppervlak van de wereld, een kleine bobbel in de vorm van een knoop, als de knoop in een matras, zou achterlaten. [...] Hij heeft de indruk dat als hij zich rustig houdt, alles de neiging heeft erger te worden, dat de plek waar het hem heeft overvallen, de clubkantine, die hij altijd net zoals de oudste leden van de club, getuigend van een innemende pedanterie, dat doen, buffet heeft genoemd, bedompt en benauwd zal worden en hem zal verstikken. Voor de zoveelste keer, zoals altijd, vlucht hij naar de kleedkamer, en terwijl hij zijn pas versnelt over het lange in een dambordpatroon gelegde tegelpad langs baan één, wordt hij verrast door zijn vader, die hem met een glas in zijn hand en een handdoek over zijn schouder, pratend met zijn dubbelpartner, tegemoetkomt. Hij slaat onmiddellijk zijn ogen neer, probeert zich kleiner te maken en drukt zijn lichaam tegen de klimop die de muur van de dameskleedkamer bedekt. Ze lopen langs elkaar heen. Het is de dubbelpartner, niet zijn vader, die hem in het voorbijgaan met afwezige genegenheid over zijn hoofd aait. Dolblij vervolgt hij zijn weg, zo blij over het succes van zijn heimelijke actie, over het feit dat zijn vader hem niet gezien heeft, dat hij het bijna niet kan geloven, en de horizon die zich nu voor hem uitstrekt is zo weids en zuiver, zo vol van beloften, dat het zwarte gat dat in zijn borst begon te groeien en hem ertoe aanzette op de vlucht te slaan, aan kracht verliest en langzaam oplost, maar hij heeft nog maar net twee arrogante stappen gezet in zijn nieuwe leven, zijn schitterende leven als begenadigde, of hij hoort de stem van zijn vader die hem roept.

Blijven staan of doorlopen? Hij aarzelt even, net te lang, en dus is het te laat. Dankzij die weifeling van een fractie van een seconde weet zijn vader dat hij hem heeft gehoord, weet hij dat hij om een of andere reden genegeerd wordt, weet hij dat er iets is, daar, in zijn zoon die op weg is naar de kleedkamer en nog altijd tegen de klimop staat aan gedrukt, iets wat zich tegen hem verzet en hem roept. En in plaats dat hij, de ontmaskerde, die in de verbaasde toon van zijn vader de verwarring herkent van iemand die beseft dat hij iets gedaan heeft bij een ander wat de ander eigenlijk bij hem had moeten doen, blijft staan en zich omdraait, zoals zijn vader en diens dubbelpartner verwachten, vervolgt hij zijn weg en loopt met normale pas in de richting van de kleedkamer, zoals hij zou hebben gedaan als hij van plan was te gaan douchen of de koker met ballen te halen die hij in zijn locker heeft laten liggen. Hij heeft echter nog geen drie stappen gezet of hij voelt zijn vader al achter zich en hoort zijn stem die hem, nu ongerust, nogmaals roept. Er is geen nieuw leven, geen nieuwe horizon, geen begenadiging. Alles is mislukt. Hij kan nu alleen nog maar ontsnappen, en als hij wil ontsnappen heeft hij geen andere keus dan zich te haasten. Hij passeert bijna op een drafje het minuscule raampje, inmiddels vrijwel aan het oog onttrokken door de klimop, dat hij 's winters om vijf uur, als het al donker is, altijd gebruikt om de douchende vrouwen te begluren, maar dat hem telkens weer teleurstelt omdat het aan de binnenkant helemaal beslagen is door de waterdamp van de douches, en rent in volle vaart de kleedkamer in. Achter hem aan, vlakbij, stormt zijn vader naar binnen, hijgend en luidkeels zijn naam roepend. Hij rent de treden op, ontwijkt een bank die iemand als een horde dwars in de ruimte heeft gezet, sluit met een klap van zijn schouder een locker die openstaat en blijft gespannen in een hoek achter in de kleedkamer staan wachten. Hij kan geen kant op. Hij draait zich om en ziet zijn vader buiten adem en verschrikt op hem af komen. 'Wat is er aan de hand?' vraagt hij. 'Waarom ren je zo hard weg?' Hij gaat op de vloer zitten – zijn lichaam past precies in de ruimte tussen de uiteinden van twee banken die elkaar eigenlijk zouden moeten raken – en drukt zijn voorhoofd tegen zijn knieën. 'Is er iets gebeurd?' vraagt zijn vader, en hij hoort die teder wordende stem en bedekt zijn ogen met zijn handen. Hij houdt zijn vingers heel stijf tegen elkaar, zoals hij altijd doet als hij in de bioscoop naar een griezelfilm zit te kijken. Totale black-out. 'Zeg nou wat, alsjeblieft,' smeekt zijn vader. 'Wij praten toch altijd met elkaar?' Er valt een stilte. Hij hoort in de verte de motor van een grasmaaier. Plotseling voelt hij de lauwwarme adem van zijn vader op zijn knieën. 'Wil je niet met me praten?' Hij doet zijn vingers een klein stukje van elkaar, net genoeg om te zien zonder gezien te worden; hij ziet een pikzwarte, door zwakke vonkjes verlevendigde wereld die snel lichter en scherper wordt: zijn vader zit op zijn hurken te wachten. Hij heeft de vochtige ogen van een oude hond. Als hij voelt dat de knoop terugkomt, nu om hem mee te nemen, drukt hij zijn vingers weer tegen elkaar en ziet niets meer. Hij hoort: 'Toe, zeg iets. Huil met me.' En zonder iets te zien, als een pijl uit de boog, stormt hij naar voren, ramt zijn vader, die op zijn rug valt, en gaat ervandoor.

Waarheen, welke kant op, dat is wat hij zich die zwarte middag in het huis van zijn vriend afvraagt, terwijl het presidentiële paleis drie keer brandt, één keer in Santiago, nog een keer op het televisie-scherm en de derde keer in zijn communistische hart, vroegrijp maar uitgedroogd, en hij zou er alles voor overhebben om te kunnen huilen, om in zijn ogen één, ten minste één enkele traan te laten op-wellen van alle tranen die hij zijn vader onthoudt in de kleedkamer van de tennisclub en die op 11 september 1973 uit de ogen van zijn vriend stromen. Feit is dat hij achtenveertig uur later vroeg opstaat, vroeger dan gewoonlijk, zich aankleedt, snel de badkamer in- en uit-gaat, het ontbijt overslaat, een taxi neemt met het geld dat hij heeft gespaard om de nieuwe geannoteerde uitgave van de *Grundrisse* van Marx te kopen en een vijftigtal meters voor school uitstapt, vlak bij de ingang van de Fiatfabriek, op de wonderbaarlijke open plek die gereserveerd is, vast en zeker tegen een flink bedrag, voor de trust van Franse holdings die ook de school financieren, waar een leger van dreigend uitziende chauffeurs de Lancia's, Volvo's en Alfa Romeo's parkeert waarmee de rijkste leerlingen worden gebracht en gehaald, en zich daar posteert, ongeduldig de straat afturend, en zodra hij de auto met daarin zijn vriendin langs de stoeprand ziet rijden, de Chi-leense vriendin met wie hij sinds vijf maanden verkering heeft – een tijdspanne die alleen maar kan leiden tot stomme verbazing bij zijn vrienden, die als ze al een vriendinnetje hebben het in alle euforie hoogstens een weekend met ze uithouden, lang genoeg in elk geval om ze te ontmaagden in het berghok met tuingereedschap en daarna in de steek te laten of om te beseffen dat zij niet de uitverkorenen zul-len zijn om ze te ontmaagden, en ook bij de ex-vriendinnetjes van zijn vrienden, die zich voortdurend afvragen hoe ze het voor elkaar krijgt hem zo lang aan zich te binden –, springt hij de straat op en doet nog voordat de auto kan stoppen het portier open, niet zozeer ijverig als wel doortastend, alsof hij bang is dat de chauffeur, om een of andere vreemde reden, op het laatste moment van gedachten kan veranderen, híj, die alleen maar bevelen gehoorzaamt, en de blonde passagiere die op de achterbank zit te knikkebollen weer mee terugneemt naar de luxueuze woning waar hij haar heeft opgehaald en waar nu, sinds achtenveertig uur, op het balkon opnieuw dezelfde Chileense kleuren wapperen die aan de achteruitkijkspiegel van de auto hangen, en zodra zijn vriendin een van de schattige gemzenleren laarsjes die ze mede op zijn aandringen heeft gekocht op het plaveisel heeft gezet en hem aankijkt, nog een beetje slaperig door het vroege tijdstip maar gelukkig, om hem met een van die glimlachjes van een vleesgeworden etalagepop te bedanken voor de hoffelijkheid van het welkom, zegt hij dat het uit is, dat hij niet meer van haar houdt, dat ze geen verkering meer hebben en nooit meer met elkaar zullen praten.

Een week lang, terwijl de militaire coupplegers de straten van Chili zuiveren van elke uiting van verzet, de stadions herinrichten als gevangenissen en het afzagen van handen instellen als straf voor populaire zangers, doet hij bijna niets anders dan toezien hoe zijn exvriendin huilt. Dat is niet iets wat hij zich heeft voorgenomen. Hij heeft geen andere keus: als de vijf maanden van zijn verkering de grote emotionele gebeurtenis van het eerste jaar van de middelbare school zijn geweest – vijf kuise maanden overigens, zoals te verwachten valt van een Chileens meisje uit een rechts katholiek gezin en een angstige, geduldige Argentijn, geboren uit een echtpaar van dubieuze pioniers op het gebied van echtscheiding, voor wie begeerte bovendien geen aanvechting is maar de eindfase, niet zozeer gezocht als wel onvermijdelijk, van een proces van verzadiging dat als het aan hem lag maanden, jaren, eeuwen zou mogen duren –, dan kunnen de breuk en vooral de wrede manier waarop hij heeft besloten die te voltrekken, toen niets in de relatie of in hemzelf, tot dan toe van onbesproken gedrag, daar ook maar enigszins op wees, alleen maar inslaan als een bom en alle aandacht opeisen. Hij ziet haar huilen in de pauze onder de trap, op haar hurken, omringd door een kordon vriendinnen die haar vernedering nog uitvergroten met allerlei pathetische gebaren; in het biologielokaal, waar ze tranen vergiet in de buikholte van de pad die een barmhartige klasgenoot zo goed is geweest in haar plaats open te snijden; in de eetzaal, achter een bord koud wordende aardappelpuree met gehakt; midden onder een gymnastiekles, waar ze verblind door een huilbui die haar overvalt terwijl ze een aanloop neemt, tegen de balk op loopt waar ze overheen had moeten springen; bij het uitgaan van de school, terwijl ze met gebogen hoofd naar de auto loopt en het peperdure leer van een tas die net zo leeg is als haar hart, achter zich aan over de grond sleept. Hij ziet haar zelfs huilen als hij haar niet ziet, als ze onverwacht niet op school verschijnt en een van de jongens of meisjes die eerst heimelijk spelden prikten in de foto van die schaamteloos lang durende romance, hem vertelt dat ze zeggen dat ze niet meer eet en slaapt, dat van al dat snotteren en neus snuiten haar neusgaten net zo rood en ruw zijn geworden als de tong van een kat, en dat haar ouders, met het idee op die manier twee vliegen in één klap te slaan, er al over denken terug te keren naar Santiago, waar het presidentiële paleis niet langer rookt en een hyena in uniform, met een snor en een bril met getinte glazen, opdracht geeft mensen te fusilleren vanuit dezelfde fauteuil waar ze Allende vanaf hebben gegooid.

Dan, plotseling, hoort hij een tijdlang niets meer. 'Niets meer horen' wil zeggen dat ze terugkeert naar school, dat hij haar ziet, dat ze elkaar tegenkomen op het schoolplein, in de kantine, in het biologielokaal, op het sportveld, maar dat er bij haar niets meer te bespeuren valt van de lijdensweg die haar twee of drie dagen eerder, volgens de berichten die misschien niet helemaal betrouwbare boodschappers meebrachten naar school vanuit de luxueuze woning waar de Chileense vlag wappert, onderdompelde in een soort liefdescoma en het noodzakelijk maakte haar met een buisje in haar luchtpijp naar Santiago te vervoeren in een charter boordevol op wraak beluste fascisten. […] Op een avond staat hij in de rij voor de kiosk en terwijl hij in de bonte verzameling paperclips, knopen, balpendoppen en metromuntjes die hij in zijn hand heeft naar het verraderlijke geldstuk zoekt dat hem iets lekkers heeft beloofd en hem dat nu onthoudt, opgeslokt door de dubbele bodem van een losgetornde zak, voelt hij hoe iemand van achteren tegen hem op botst – de kenmerkende drukte van de avondhonger – en hij draait zich in een lichte vlaag van woede om, tot alles bereid, en ontdekt haar volmaakte, blanke gezicht, met een lichtroze tint, als verjongd door een weldadige regen, en haar heldere, vrolijke ogen die hem aankijken vanuit de hoogte, vanaf die acht centimeter die ze langer is dan hij en die hij altijd heeft geaccepteerd als een rechtvaardige compensatie voor de twee jaar die hij ouder is dan zij. Ze wijst op het gedrang in de rij achter haar en verontschuldigt zich, onweerstaanbaar als op de dag dat hij haar voor het eerst zag, mooi, denkt hij, mooi als een zonnige ochtend na een nachtelijk onweer, en daarna groet ze hem met de grootmoedigheid van een godin of van een dode, en de muntjes vallen uit zijn hand, alle muntjes, inclusief het muntje dat zich zo moeizaam gewonnen wilde geven en dat hij net gevonden heeft en nu rinkelend op de grond valt, doorrolt en verdwijnt onder de vijfhonderd kilo plaatwerk van de kiosk. 'Niets meer horen' wil zeggen dat een tijdje alles zo blijft, in dat vreemde evenwicht van omgekeerde parallelle werelden – zij, hersteld maar waardig, trots op haar wederopstanding maar niet in staat ervan te genieten, hij, beduusd, steeds dieper wegzinkend in het moeras van zijn triomf – dat alleen op hém weerslag lijkt te hebben, want elke keer als hij het aan een derde voorlegt, krijgt hij als enige antwoord een schouderophalen, een obligaat gebaar van instemming of een ongeïnteresseerde grimas, totdat een van zijn beste vrienden, een van die kleine schooiers die hun prestige ontlenen aan het verzamelen van berispingen en het halen van onvoldoendes, hem op een regenachtige morgen aanklampt in de pauze van vijf voor halfelf en hem bevend, met onder zijn ogen de wallen van een terminale heroïneverslaafde en vingers geel van de nicotine, vertelt, min of meer over hem uitspuugt, dat hij sinds twee weken met haar gaat en dat zijn leven sindsdien, vierentwintig uur per dag in afwachting van de attenties, de gunsten of hooguit de blikken die zij, kil als een ijsschots, hem slechts sporadisch verleent, als ze moe is en erin toestemt ze los te weken uit de duizend schitteringen die haar betoveren, het hele mannelijke gilde van de planeet op de eerste plaats, dat zijn leven sindsdien een niet te beschrijven nachtmerrie is, en terwijl hij zich vastgrijpt aan de gerafelde revers van zijn blazer smeekt hij hem, met de slechte adem, kenmerkend voor iemand die zo opgaat in zijn lijden dat hij vergeet te eten, in godsnaam te vertellen hoe híj, die het de eeuwigheid van vijf maanden met haar heeft uitgehouden, hoe híj het in vredesnaam voor elkaar heeft gekregen daar niet onder te lijden en hoe hij in godsnaam van haar af is gekomen. Zodat nu niet zij degene is die huilt, maar hij, zijn vriend, die geen enkele ervaring heeft op dat gebied en die hij al snel dagelijks tegenkomt op het schoolplein, in de gangen, in de kantine, niet gewoon lopend maar sjokkend, krom als een vraagteken, zijn gezicht weggestopt in een zakdoek die hij na een paar weken niet eens meer uit zijn zak hoeft te halen of op te bergen en die hij ook niet meer verschoont, zozeer lijkt die door het gebruik om zijn tranen weg te vegen, zijn neus te snuiten of simpelweg zijn pathetische verschijning te verbergen voor de hoon van de anderen, een kleverig verlengstuk van zijn lichaam.

Het is de tweede grote politieke gebeurtenis in zijn leven. Nu is hij niet degene die huilt: hij is degene die aan het huilen maakt. Eerst zijn Chileense vriendin, die er dankzij het merkwaardige scharnier van het huilen niet langer uitziet als een kwezel maar als een vamp, een letterlijk fatale vrouw; daarna, want hoewel indirect, het verband tussen oorzaak en gevolg springt onmiddellijk in het oog, een van zijn beste vrienden, de enige die tot dan toe nog nooit heeft geleden onder de liefde, die hem twee of drie weken later, als een geestverschijning, een trieste schim van de aspirant-crimineel die hij sinds hij hem kent altijd vol trots heeft beweerd te zijn, geen moment met rust laat en voortdurend vragen stelt, niet meer hoe hij het voor elkaar heeft gekregen om niet onder de Chileense te lijden, niet meer hoe hij van haar af is gekomen, maar waarom, waarom hij, toen hij haar verliet, hem heeft veroordeeld tot die zonnesteek van pijn die geen eind of troost lijkt te kennen en die hem helemaal gek maakt; en vele jaren later, als de episode Allende al zijn plaats heeft ingenomen in de kleine maar invloedrijke nis die hij toekent aan de historische tragedies, waarvan hij zich altijd alles precies herinnert, in het bijzonder data, namen, volgorde van de gebeurtenissen, getallen, alles wat hij stelselmatig vergeet van de persoonlijke tragedies, en het voorval met de Chileense vriendin, overschaduwd door de draagwijdte van de historische tragedie, jaren later, wanneer het huilen zelf geen probleem meer voor hem schijnt te zijn, als bij toverslag in het niets is verdwenen, maakt hij ook een vrouw aan het huilen die hij tijdens een zomer leert kennen in een buitenlandse stad, bij wie hij intrekt zodra de door zijn gastheren betaalde hoteldagen zijn verlopen, en op wie hij bijna ongemerkt, als in een droom, verliefd wordt, met dezelfde onverbiddelijke snelheid als waarmee het hem duidelijk wordt in hoeverre alles wat er tussen hen bestaat onmogelijk is en ook in de toekomst onmogelijk zal zijn. Het is overdag en ze liggen in bed, naakt. Afgemat door een hitte die hem dubbel benauwt omdat het de weinige keren dat hij in die stad is geweest steeds winter was, vraagt hij of ze iets te drinken heeft. Ze bevrijdt een been van tussen de lakens en zet haar voet op de grond, en als ze kracht verzamelt om op te staan en de spanning de lange boog van de spier op haar kuit tekent, kijkt hij ernaar, over de rand van het bed, zijn kin steunend op zijn twee op elkaar gelegde vuisten, als vanaf een uitkijkpunt, en laat zich opnieuw ontroeren door de manier waarop dat been de scherpe knik van de knie achter zich laat en dunner, kinderlijk wordt en tevergeefs lijkt te protesteren tegen het gewicht dat het gedwongen is te dragen, wat zij associeert, zo heeft ze hem verteld, met een aanleg van de vrouwelijke tak van de familie voor rachitis, dat wil zeggen, in haar eigen woorden, 'voor spillebenen', en hij daarentegen met de gigantische haarstrik, van een wonderlijk anachronisme, waarvan de punten aan de zijkanten van haar hoofd uitsteken op de jeugdfoto die hij ten slotte van haar heeft gekregen en die hij later kwijtraakt bij een verhuizing, en plotseling blijft zijn blik rusten op een glanzend gebied, een lichte plek waar de huid gladtrekt op een te strak gespannen oppervlak, zonder poriën, haren of oneffenheden, als een stuk papier, donkerder of glimmender dan de huid, afhankelijk van of er licht op valt, en hij steekt een hand uit en raakt de plek voorzichtig aan met zijn vingers, en zij stamelt iets, hoewel ze niet van plan was iets te zeggen, en barst in huilen uit. *Kom op, vertel me, zeg me.* Is het de manier waarop zijn vingers haar beroeren, dezelfde vingers die jarenlang zijn gepolijst door de tegels van de zwembaden Embrujo, Pretty Polly en Sunset? Is het dat litteken, dat in vier vierkante centimeter dode huid de nog altijd aanwezige pijn heeft opgeslagen die zij inmiddels denkt te zijn vergeten? Is zij het, de ex-erpster – want dat is de naam, zoals ze hem al snel lachend zelf vertelt, die haar cipiers gaven aan de leden van het ERP, het Ejército Revolucionario del Pueblo, het Revolutionaire Volksleger –, die niet alleen het ergst denkbare heeft overleefd maar van haar lichaam gebruikmaakt op een manier waar de lichtzinnigste en gezondste vrouwen op aarde jaloers op zouden zijn, maar die tegelijkertijd een slavin is van dat litteken, gekweld wordt door een stuk blinde huid dat haar van de wereld zou moeten afzonderen en dat desondanks, in contact met een ander lichaam, niets anders doet dan haar villen en doormidden snijden? Hij maakt haar aan het huilen, hij maakt de erpster aan het huilen, zoals ze hem bekent dat iedereen zichzelf ten slotte vroeg of laat ging noemen, zij en de erpers die samen met haar de gevangenis van Córdoba delen, waar sommigen, zij bijvoorbeeld, het geluk of de middelen zullen hebben uit te komen maar waar de meesten oud zullen worden, hij raakt het litteken aan en maakt haar aan het huilen, en de vervoering waarin de gemeenschappelijkheid van het huilen hem brengt is zo groot dat het hem weinig kan schelen dat hij, in de vijf dagen dat hij met haar samenleeft, eet, drinkt, danst, foto's maakt in de fotoautomaten van de metro, en slaapt, niet in haar kan binnendringen, nooit in haar kan klaarkomen, niet van haar kan genieten of haar kan horen genieten. Hij denkt: Het is niet mijn taak in haar binnen te gaan, mijn taak is dichtbij te zijn. Hij denkt: Eén worden met de pijn is onverwoestbaar worden.

[…] Op een middag moet zijn moeder de stad in, de vrouw die regelmatig in hun huis werkt is niet gekomen, op de portier rekenen is onmogelijk – die heeft een hekel aan zijn moeder, aan haar verwaandheid, haar manieren, de onbereikbare top waarvandaan ze lijkt neer te kijken op een wijk die ze als het niet uit nood geboren was niet eens de moeite waard zou vinden om doorheen te lopen – en zijn grootouders verspillen in een stilzwijgende uitwisseling van vijandigheden een prachtige week vakantie in hotel Sierras de Alta Gracia, in de provincie Córdoba, op minder dan twee uur en twintig jaar van de plaats waar de erpster ten slotte erpster wordt en de brigadier van politie die bij toeval de informatie krijgt die aanleiding vormt voor de razzia waarbij ze gevangen wordt genomen, blij is met een promotie die hij niet verwachtte na voor altijd haar been te hebben getekend. Zonder veel hoop, want het is drie uur 's middags en ze kan zich moeilijk voorstellen dat een militair om drie uur in de middag van een doordeweekse dag thuis is, belt zijn moeder aan bij het appartement van de buurman en wacht. Hij is haar op zijn driewieler gevolgd tot de overloop en wacht in waakzame houding, zijn rechtervoet op de opstaande trapper en allebei zijn handen aan het stuur, als klaar om te vluchten of zich te storten op alles wat zijn vlucht in de weg mocht staan. Zijn moeder staat op het punt het op te geven als hij een sleutel in het slot hoort morrelen en de deur een klein stukje opengaat, zover als de ketting van de knip het toelaat. Is hij het? Is het de buurman? Vanaf zijn positie, vlak bij de voordeur van zijn huis, kan hij hem niet zien, maar hij ruikt de ijskoude wolk parfum die door de kier van de deur naar buiten stroomt en bezit neemt van de lucht op de overloop en al in zijn mond begint te knisperen, en dat vat hij op als een doorslaggevend bewijs, veel ondubbelzinniger dan het beeld van zijn gezicht of dan zijn stem. In haar ijver de situatie uit te leggen, verstrikt zijn moeder zich in nerveuze zinnen, die een vroegtijdig hoogtepunt bereiken en daarna, steeds halverwege, afzwakken. Opnieuw vragen? Nog een schuld? Waar denkt ze die mee te betalen? Hij zet zijn voeten op de grond, gaat staan, tilt de driewieler een stukje op en terwijl hij hem tien centimeter boven de vloer houdt loopt hij met vastberaden passen anderhalve meter in hun richting. 'Het is maar voor even,' zegt zijn moeder, haar armen spreidend ten teken van machteloosheid, en ze draait zich om en kijkt naar hem, met een dwingende verwachting, alsof ze hoopt dat hij zal gaan pruilen of hoesten als een tbc-patiënt of dat hij iets onweerstaanbaar behendigs zal laten zien, in elk geval iets wat voor de buurman een beetje onroerender is dan de snor van chocolademelk, de roodachtige korstjes van het vallen op zijn knieën, het om zijn rechterpols dansende horloge dat hij ternauwernood kan lezen en de orthopedische schoenen.

Hij zou niet kunnen zeggen hoe ze het voor elkaar krijgen, want zijn moeder blijft heen en weer geslingerd worden tussen schaamte en haast en de buurman, als hij daar tenminste is, als hij, bedenkt hij opeens in een vlaag van idiote scherpzinnigheid, in zijn appartement niet een of andere machine heeft geïnstalleerd die dat weerzinwekkende parfum van munt, ceder- of sandelhout produceert, een machine die zijn plaats inneemt en uit zichzelf begint te werken zodra een vreemde op de bel drukt, de buurman zegt niets en neemt niet eens de moeite zich te laten zien gedurende de vijf of zes minuten die de onderhandeling duurt, maar ze komen tot overeenstemming en na een tijdje, zo gauw als zijn moeder, om tien over drie 's middags, klaar is met omkleden en zich opmaken als voor een gala-avond en hij, teruggetrokken op zijn kamer, in de Pan Am-tas waarmee zijn vader kortgeleden een of ander recent gebrek aan punctualiteit heeft afgekocht, een voorraad stripbladen, miniatuurautootjes, teken-blokken, krijtjes, soldaatjes en koekjes heeft verzameld, groot genoeg om een hele zomer op een onbewoond eiland door te brengen, keren ze terug naar de overloop, waar zijn moeder de deur op slot draait, op de knop van de lift drukt en terwijl ze daarop wacht hem een duwtje tegen zijn schouder geeft, een gebaar dat hij half als een aansporing, half als een troost interpreteert, als je dat wat hij op zijn leeftijd doet met de signalen die de wereld uitzendt tenminste interpreteren mag noemen, en met de traagheid van die oorspronkelijke impuls, want trappen doet hij onderweg niet, komt hij op zijn driewieler aan bij het appartement van de buurman, de Pan Am-tas aan het stuur, en botst zachtjes met het voorwiel tegen de deur. [...] Hij wacht met zijn handen op het stuur, strak kijkend naar het gleufje in de vorm van een accent circonflexe van het slot. Na een paar seconden, zich afduwend met zijn voeten, stoot hij nogmaals met het voorwiel van de driewieler tegen de deur. Pas als het licht op de overloop met een klik uitgaat en hij in volledige duisternis achterblijft, draait hij zich om en ontdekt dat hij alleen is, dat als zijn moeder zich ergens be-vindt het op die onbarmhartige, tegelijk nabije en onbereikbare plek is waar hij haar niet kan zien maar waarvandaan wel, punctueel en als versterkt, de echo tot hem doordringt van alles wat ze doet, alles wat haar steeds verder van hem verwijdert: de twee traliedeuren van de lift dichttrekken, op volle snelheid de hal van het gebouw overste-ken, de voordeur openen en, haar blik al op de straat gericht om de eerste de beste taxi die voorbijkomt aan te kunnen houden, met veel lawaai achter zich laten dichtvallen. Hij is zo verbaasd als hij consta-teert dat hij alleen is in het donker, de verwarring over het feit dat hij de opeenvolgende signalen van de verdwijning van zijn moeder daarnet niet heeft geregistreerd is zo groot, dat hij opeens, terwijl hij in de richting van de lift kijkt, nu ondergedompeld in de duisternis van het trappenhuis, het gevoel heeft dat hij haar opnieuw ziet, tege-

lijkertijd in het onmiddellijke verleden en in het heden, scherp afge-
tekend tegen de oplichtende achtergrond van de lift die net weer boven is gekomen, naar hem zwaaiend met een hand die iets onzicht-
baars uitveegt in de lucht met de achterkant van haar vingers. Hij ziet
wat hij niet heeft gezien, wat achter zijn rug heeft plaatsgevonden, of
wat misschien nooit heeft plaatsgevonden, en hij stoot nogmaals
met het wiel van de driewieler tegen de deur van de buurman.

Wat hem van die eerste keer bijblijft is hoe weinig ze praten. Want
ten slotte doet de buurman de deur open, en hij rijdt naar binnen met
zijn driewieler, nu wel trappend, en komt tot stilstand een centimeter
voordat het voorwiel vastloopt tegen de rand van een gerafeld tapijt,
midden in een kleine woonkamer, bijna even donker als de overloop,
propvol oude meubels die knikkebollen als slapende mensen in een
wachtkamer. De jaloezieën zijn neergelaten en de gordijnen dicht;
een televisie zendt een geluidloos, flikkerend schijnsel uit vanuit een
hoek van de kamer, tegenover een fauteuil waar hij op een van de
armleuningen een zwarte, L-vormige asbak meent te zien. Hij blijft
staan kijken naar de bewegende vormen in de kubus van grijsachtig
licht – mensen die een auto met een grote kist voortduwen te midden
van een zee van andere mensen die heel langzaam lopen en huilen –
totdat hij merkt hoe de buurman achter hem langs – het spoor van
parfum slaat zacht op zijn rug – een zijgang in loopt en een piepende
deur openduwt. Hij kijkt om. Door de halfopen deur ziet hij hem
staan, en profil, hij ziet hoe hij zijn broek laat zakken, op het toilet
gaat zitten en langdurig plast, met zijn ellebogen op zijn dijbenen en
zijn gezicht begraven in zijn handen, alsof hij huilt. Maar zelfs als hij
huilde en als hij dagen achtereen op die manier zou huilen, zittend,
zonder te bewegen en zonder op te staan, dan nog zou hij nooit zoveel
huilen als de menigte huilt die achter de auto en de kist aan loopt die
dat gevolg van een zestal mannen op het televisiescherm voortduwt
in de regen. Hij stapt van zijn driewieler, en terwijl hij voor het eerst
de overeenkomst herkent tussen de beweging die hij zojuist heeft ge-

maakt en die hij cowboys heeft zien maken als ze van hun paard afstijgen, waar hij zich vanaf dat moment ten volle van bewust is, elke gelegenheid aangrijpend om het te oefenen en te perfectioneren, totdat iemand, ongetwijfeld een volwassene, als die hem op een dag van zijn driewieler ziet stappen, hem met de beste bedoelingen, waarschijnlijk om bij hem in de smaak te vallen, aanraadt het fietsje aan een paal te binden om te voorkomen dat het ervandoor gaat en hij besluit dat de dingen weer hun plaats moeten krijgen, de driewieler de plaats van de driewieler en de paarden die van de paarden, waar ze eigenlijk ook nooit vandaan hadden moeten komen, en zich voortaan met iets anders bezig te houden, steekt hij onder gekraak van de houten vloer het tapijt over en loopt naar de televisie om het geluid harder te zetten. Maar de buurman, die inmiddels weer terug is, zegt nee, dat hij van het apparaat af moet blijven, en na met een grote stap de driewieler te hebben ontweken die dwars in het midden van de kamer staat, laat hij zich in de fauteuil ploffen. Dat is alles wat de buurman zegt in hoeveel tijd? anderhalf uur? twee uur? drie? In elk geval duurt het een stuk langer dan je zou vermoeden bij het 'even' dat zijn moeder had beloofd. Maar voor hem zijn die paar woorden genoeg om te horen dat het timbre van de stem van de buurman, dat hij tot dan toe nooit had opgemerkt, misschien omdat het verhuld werd door de indruk van gezag van meer in het oog springende symbolen zoals het uniform, of beter gezegd, het olijfgroene overhemd dat als hij er goed over nadenkt, het enige deel van het uniform is dat hij hem ziet dragen, altijd een stukje open en over een witte singlet, of de snor, of het kortgeknipte haar, te zwak klinkt voor het bevel dat hij zojuist heeft gegeven, en zodra hij hem in de fauteuil ziet ploffen en zijn plotseling klein geworden lichaam ziet wegzinken in die door het schemerdonker tot reusachtige proporties opgeblazen holte, komt de gedachte bij hem op dat er misschien een verband bestaat tussen dat wat hem verbaast in zijn stem en die soepelheid als van een ongewerveld dier waarmee hij net is gaan zitten. Iets, maar wat? Maar het is niet die neiging tot bondigheid, vaak grenzend aan introversie of zelfs vijandigheid, die zijn aandacht trekt wanneer hij 'even' bij de militaire buurman moet blijven, meestal 's middags, voor zijn moeder kennelijk het geschiktste moment van de dag om de elegante noodbezoekjes te plannen die al snel met steeds grotere regelmaat van haar worden gevraagd en waarvan hij haar verwilderd ziet terugkomen, gehuld in een stug stilzwijgen, met licht uitgelopen oogschaduw, zonder zelfs maar de kracht te hebben de appel te schillen die ze mee naar bed neemt, het enige wat ze die avond zal eten. Hij heeft uniformen nooit geassocieerd met spraakzaamheid. [...] Maar telkens wanneer de deur van de buurman opengaat en hij met zijn driewieler bij wijze van stormram naar binnen rijdt, enigszins plechtig en fier rechtop, alsof hij het inwendige van een fort betreedt dat hij jarenlang van buitenaf heeft gadegeslagen, is hij verbaasd dat het lichaam van de buurman hem kleiner voorkomt dan het in zijn herinnering was, ieler en vooral levendiger, soepeler, en ook dat alles wat er in dat 'even' gebeurt, en dat is tamelijk weinig en bestaat er eigenlijk vooral uit dat de militaire buurman doorgaat met waar hij mee bezig was op het moment dat hij verrast wordt door de doffe bons van het rubberen voorwiel van de driewieler tegen zijn voordeur – roken, televisiekijken, telefoneren, zijn uniform strijken, brieven schrijven aan zijn familie, landkaarten bestuderen, het dienstwapen schoonmaken dat hij de eerste keer voor een asbak heeft aangezien, in de fauteuil liggen slapen, terwijl hij zich ertoe beperkt van enige afstand in stilte naar hem te kijken, alsof hij er iets van zou kunnen leren –, dezelfde vervreemdende eigenschappen heeft als de ruimte waarin die onbeduidende dingen zich afspelen. Want het appartement van de buurman is qua omvang en indeling weliswaar identiek aan het appartement waar hij woont, maar dat het hem toch steeds weer in verwarring brengt, komt omdat alles wat hij daar herhaald aantreft net andersom is, gerangschikt in omgekeerde richting, zodat wat daar links ligt hier rechts ligt, wat daar louter licht is hier halfdonker is, waar je daar gewoon kunt doorlopen je hier op een muur stuit, wat daar een houten vloer is hier plavuizen zijn en vice versa, en elke keer dat hij, ervan uitgaande dat de twee appartementen hetzelfde zijn, even niet oplet en denkt zich blindelings te kunnen bewegen en zich te laten leiden door de ervaring die hij heeft in zijn eigen ruimte, lokt het appartement van de buurman hem meedogenloos in een hinderlaag en verschijnt er ineens een deur waar hij niets verwachtte, of alleen maar lucht, het duizelingwekkende van de lucht, waar hij vol vertrouwen tastte naar een deurkruk.

Het schemerdonker. Ook dat, als hij er wat langer over nadenkt – het schemerdonker, dat met het verstrijken van de middag van het in grove lijnen schetsen van de contouren van de dingen overgaat in het laten vervagen ervan, waarna ze langzaam opgaan in de wanorde die vroeg of laat alles aantast. Meer dan eens, geïntrigeerd door het gezicht, het huis of het landschap dat hij in de verte ingelijst aan de muur meent te zien hangen, wacht hij totdat de buurman zijn bezigheden hervat en zodra hij ziet dat hij daar weer in verdiept is, zo in zichzelf gekeerd dat hij zou kunnen zweren dat hij er niet is, en dat het lichtvoetige, lenige lichaam dat hij ziet, en dat hij als hij wil kan voelen zodra hij zijn ogen sluit, louter en alleen door het aureool van bosgeur dat om de buurman heen hangt, een illusie is, een replica, bedoeld om te misleiden en zijn ware activiteiten te verhullen, die hij vast en zeker verricht in een andere dimensie, ver van ongewenste blikken, stapt hij van zijn driewieler en loopt recht op de muur af om de foto of het schilderij van dichtbij te onderzoeken, maar als hij er aankomt, is het licht al zo veranderd dat de afbeelding, het maakt niet uit wat die voorstelt, niet meer te onderscheiden is. Omdat hij er goed over nadenkt of omdat hij zichzelf wil troosten, komt hij ten slotte tot de conclusie dat niets van alles wat hij in het appartement ziet – als zien tenminste het woord is om de handeling te benoemen die de aanleiding vormt voor de beelden die in de loop van de tijd, naarmate de bezoekjes toenemen, eerder lijken voort te komen uit

zijn gewoonte of zijn verbeelding dan uit het contact tussen zijn zin-
tuigen en de wereld –, de oude doorgezakte fauteuils, het modieuze
eetkamerameublement, met zijn gemêleerde kroost van authentieke
en bastaardstoelen, het kamerscherm dat opgevouwen achter de televisie staat te verstoffen, de altijd dichte gordijnen, de kristallen
kroonluchter die scheef aan het plafond hangt, of de foto's op het
dressoir, dat niets, en zeker niet de voorwerpen die op het eerste gezicht het persoonlijkst lijken, dat niets in feite van de buurman is, dat
niets door hemzelf is uitgekozen, dat niets is gekocht, verzameld,
geërfd of eventueel gemaakt door de man die zich diep in de fauteuil
laat ploffen, zijn benen over elkaar slaat, bijna zonder ze van elkaar te
doen, waarbij zijn dijbenen langs elkaar wrijven, en zijn ogen alleen
een beetje opendoet als hij rookt en de gloed van de sigaret zijn gezicht verlicht. En toch is die onbekende – van wie hij nooit zelfs maar
de naam te weten komt en die, als een indringer in zijn eigen huis,
zijn bewegingen beperkt tot één enkel gebied, keuken, badkamer,
woonkamer, en één enkele reeks voorwerpen, telefoon, strijkplank,
thermoskan, landkaart, dienstwapen, de enige die hem kennelijk
zijn toegestaan te gebruiken, en daarbij gaat hij zelfs zover dat hij al
het overige, dat wat buiten het bevoegde terrein valt, niet alleen niet
gebruikt maar zelfs niet aanraakt, als een soldaat die een mijnenveld
oversteekt – toch is die onbekende degene die hem onderdak verleent, die hem een plaats aanbiedt en het goed vindt dat hij zijn vin-
gerafdrukken achterlaat op plekken die hij zelf bijna alleen met
handschoenen aanraakt, en die bij elk bezoek, zodra hij hem heeft
binnengelaten en hij, na met zijn driewieler anderhalve meter te zijn
doorgereden, blijft staan en zijn handen klaar heeft door ze met de
palmen naar boven op het stuur te leggen en te wachten, over zijn
vingertoppen strijkt alsof hij de dikte van de huid meet, hoeveel slij-
tage de zaterdagen in Pretty Polly of New Olivos hebben veroorzaakt,
de afstand die in zijn lichaam het buitenste scheidt van het binnenste, de drempel van de pijn.

Dat is het enige wat hij heeft om hem van te beschuldigen, in elk geval het enige echte, het enige wat inderdaad heeft plaatsgevonden, als hij op een dag op het idee mocht komen de militaire buurman aan de schandpaal te nagelen en hem – zich beroepend op de op zijn minst verdachte eigenaardigheid van die hoeveel? vijftig, honderd, tweehonderd uur intimiteit met een volmaakte vreemde? – van het ene moment op het andere te verrassen met een aanklacht wegens misbruik. Dat, en wat nog meer? De soep die de buurman eet uit een kom die hij met beide handen vasthoudt, bijna rillend, alsof hij een scène in de ijzige kou aan het repeteren is, en die hij in zijn ijver hem ook wat aan te bieden tot bij zijn mond brengt, waarbij de rand van het aardewerk bijna zijn lippen raakt? De dag waarop de buurman besluit de voering van zijn uniformjasje te naaien en hem daarbij als hulpje gebruikt, de centimeter om zijn nek hangt en hem leert de spelden van tussen zijn lippen aan te geven? De middag waarop de buurman met de deur open staat te douchen en met een stem waarvan de lieflijkheid hem opnieuw betovert, verhuld door het half-doorschijnende douchegordijn, 'Ora che sei gia una donna' van Bobby Solo zingt? Of wanneer hij hem vraagt de halvemaantjes op te rapen en weg te gooien van de nagels die hij zojuist op de rand van het bidet heeft zitten knippen met net zo'n minischaartje als zijn moeder altijd gebruikt om zíjn nagels te knippen en hem aan het huilen te maken, hetzelfde schaartje waarbij zijn grootvader meer dan eens, niet zozeer om te helpen als wel om de stem van zijn dochter niet te hoeven horen die zich beklaagt over hoeveel werk het is in haar eentje een kind groot te brengen, tevergeefs heeft geprobeerd zijn enorme vingers door de ogen te steken? Of de droom, de droom die de buurman op een middag in zijn bijzijn droomt, onderuitgezakt in de fauteuil, en die hij bij het langzaam openen van zijn oogleden, niet bij het wakker worden, want wie kan bij het horen van zijn stem, die overal vandaan lijkt te komen behalve uit de waaktoestand, zeggen dat hij wakker is geworden, aan hem begint te vertellen?

'Het gebeurde in de toekomst. We waren met ons vieren, ik met een blonde pruik op en drie kameraden, allemaal in uniform. Onderscheidingstekens, petten, broeken, kousen, alle kleren hadden we gekocht bij een militaire kleermakerij. We zouden een befaamde moordenaar van het leger ontvoeren om hem te berechten. Het plan was naar zijn huis te gaan en hem bewaking aan te bieden en mee te nemen, en als hij zich verzette hem daar ter plekke te doden. We liepen naar boven, het was op de achtste verdieping, zijn vrouw deed open en bood ons koffie aan terwijl we wachtten totdat de kerel klaar was met douchen. Ten slotte verscheen hij en dronk koffie met ons terwijl we hem het aanbod voor de bewaking deden. Na een tijdje stonden we op, trokken onze wapens en zeiden: "Generaal, u gaat met ons mee." We liepen naar beneden en stapten in een personenauto, die we later verruilden voor een bestelwagen met twee andere vermomde kameraden van ons, de een als pastoor, de ander als politieagent, en nog weer later voor een kleine vrachtwagen met dekzeil, en daarna reden we de provincie in en kwamen bij een landhuis waar we hem berechtten. Een kameraad maakte een paar foto's, maar toen hij het rolletje uit de camera wilde halen, brak het en moest hij het weggooien. We legden hem de beschuldigingen voor, maar de kerel gaf nauwelijks antwoord. Hij wist niet wat hij moest zeggen. Op een gegeven moment vroeg hij om pen en papier en schreef iets op. We bonden hem vast aan het bed. De volgende morgen deelden we hem de uitspraak mee. Hij vroeg of we de veters van zijn schoenen wilden vastmaken en of hij zich mocht scheren en hij vroeg ook om een biechtvader. Hij wilde weten hoe we zijn lijk gingen laten verdwijnen en wat er van zijn familie zou worden. We brachten hem naar de kelder, stopten een zakdoek in zijn mond, zetten hem tegen de muur en schoten een paar kogels in zijn borst. We gaven hem twee genadeschoten en dekten hem toe met een deken. Twee van ons groeven een kuil om hem te begraven, maar niemand durfde de deken van het lijk te halen.'

Maar wie, wie moet hij beschuldigen, als hij als het eropaan komt niet eens weet hoe hij heet. Wie, als het enige concrete wat hij meent te hebben, het weinige wat hij met zekerheid durft te zeggen, juist datgene is wat uiteindelijk het meest op lemen voeten staat, het appartement aan de calle Ortega y Gasset waar hij woont, bijvoorbeeld, gehuurd onder een naam die vals blijkt te zijn, waar hij op een dag zomaar ineens verdwijnt en alleen meeneemt wat hij bij zich had toen hij er kwam wonen, maanden onbetaalde servicekosten achterlatend, of zijn status als militair, die hij al meteen vanaf het begin in twijfel heeft getrokken, vanaf het moment dat ze samen in de lift naar beneden gaan en hij de onvolkomenheid aan zijn uniform ontdekt, of zelfs zijn snor, die op de middag van de droom, terwijl hij in zijn aanwezigheid ligt te slapen en te dromen, loslaat en langs zijn zachte huid naar beneden glijdt totdat hij blijft steken bij zijn lippen, een bedrieglijk streepje dat bij elke snurk trilt als een veertje. Nee, hij zal hem niet aangeven, en zelfs als het idee bij hem opkomt, inmiddels schandalig in zijn ongepastheid maar nog altijd met een vreemde intensiteit, kan hij het niet meer: het is te laat. Mettertijd lossen de middagen die hij heeft doorgebracht met de militaire buurman onherroepelijk op in de donkere, zich uitbreidende wolk zonder inwendige contouren waarmee zijn kindertijd de neiging heeft in zijn geheugen te versmelten, zijn hele kindertijd, inclusief in de eerste plaats alles wat hij, op het moment dat hij het meemaakt, bij hoog en bij laag zweert zich altijd te zullen herinneren: het appartement aan de calle Ortega y Gasset, de naam van de portier, de oogleden van zijn rustende moeder onder met crème ingesmeerde wattenschijfjes, de inktvis die met zijn tentakels op jacht is naar voedsel op de bodem van het zwembad Embrujo, het zakhorloge dat zijn vader bij zich draagt maar waar hij slechts zelden in het openbaar op kijkt, het Supermanpak dat hem in de steek laat, de glassplinters in zijn handpalmen [...] en de gedaante van de buurman trilt, verliest samenhang en laat zich ten slotte zien, in de zeldzame gevallen dat hij zich laat zien, als voor-

84

werp van een vaag mededogen, bijvoorbeeld belichaamd door een van die geüniformeerde eenlingen uit de provincie, die, nog maar net aangekomen in de hoofdstad, zonder familie en vrijwel zonder bekenden, duizelig door een monsterachtige stad die ze niet kunnen bevatten, ergens op een bankje van een of ander plein zitten te wachten op hun vriendin die ze al verlaten heeft, terwijl zij nog dromen van de verlossing die een militaire carrière belooft.

Op zijn veertiende is hij overgeleverd aan een marxistische roofzucht waarbij hij alles en iedereen verslindt: Fanon, Michael Löwy, Marta Harnecker, Armand Mattelart, het koppel Dorfman-Jofré, dat hem leert in hoeverre Superman, de man van staal die hij altijd heeft verafgood, die hij nog steeds verafgoodt in dat soort van tweede, lichtelijk ongelijkfasige leven dat parallel loopt aan het leven waarin hij keihard studeert op het Latijns-Amerikaanse revolutionaire denken, feitelijk onverenigbaar is met dat leven en beschouwd moet worden als een van zijn ergste vijanden, een vermomde vijand en daarom duizend keer gevaarlijker dan zij die aanvaarden dat een uniform ze als zodanig verraadt – bijvoorbeeld, om maar dicht bij huis te blijven, want de catastrofe heeft zich nauwelijks een jaar eerder voltrokken en ligt nog vers in het geheugen, de slagers die het presidentiële paleis in Santiago in brand steken, dat daarmee van regeringszetel het graf wordt van de Chileense weg naar het socialisme. Op zijn veertiende is hij net zomin in staat de stap te zetten en over te gaan tot politieke actie als zijn blik af te wenden van al datgene om hem heen wat die actie verheerlijkt, beelden, teksten, kranten, boeken, persoonlijke getuigenissen, verhalen in romanvorm, een vibrerende versie vol bloed, kruit en onverschrokkenheid van alles wat met pauselijke strengheid uiteengezet wordt op de bladzijden van Theotonio dos Santos, André Gunder Frank of Ernest Mandel, en niets maakt hem ongeduldiger, niets houdt hem meer in spanning dan elke dinsdag van de maand, wanneer het nieuwe nummer uitkomt van zijn lievelingstijdschrift *De peronistische zaak*, het officiële orgaan van de guerrillabeweging Montoneros, wachten op het moment dat hij naar de kiosk om de hoek van zijn huis kan rennen om het exemplaar mee te nemen dat de kioskhouder beloofd heeft voor hem achter te houden. Hij heeft geen vriendin, het Chileense meisje dat later een van zijn beste vrienden tot tranen toe kwelt heeft geen vervangster gekregen, maar zelfs als dat wel zo was, zou het vooruitzicht van een amoureuze afspraak hem ongetwijfeld minder opwinden dan dat van de verschijning van elk nieuw nummer van *De peronistische zaak*, met zijn zetfouten, zijn sobere tweekleurendruk, zijn opmaak als van een pamflet en zijn rommelige regelafstand, de enige esthetische grillen overigens die geduld lijken te worden door de daadkracht van de situationele rapporten, de karakteriseringen van de conjunctuur, de artikelen over de strijd van het volk, de verslagen van vakbondsoverwinningen, fabrieksbezettingen, gewapende overvallen, de foto's van helden, martelaren, beulen. Elke eerste dinsdag van de maand wordt hij vroeg wakker om naar school te gaan en heeft hij al last van zijn tanden en kaken, verkrampt door de pijn van iemand die de hele nacht ongeduldig in zijn slaap heeft liggen knarsetanden. Hij kleedt zich met stramme, onbeholpen bewegingen aan, alsof het contact van zijn blote voeten met de tegels van de badkamer, of de scherpe smaak van de tandpasta, of het koude water hem niet wakker hebben kunnen schudden. Hij begint aan dingen die hij nooit afmaakt. Zijn handen zweten, hij heeft kramp in zijn maag, gaapt zonder aanleiding. De symptomen, die hem de hele dag blijven kwellen, nemen pas af tegen een uur of acht 's avonds, als ze zwichten voor een soort euforische kriebeling die hem, wat hij op dat moment ook maar aan het doen is, altijd onzorgvuldig overigens, altijd met zijn gedachten elders, bij het aftellen waar hij sinds hij is opgestaan onafgebroken mee bezig is, dwingt het huis uit te vluchten en op weg te gaan naar de kiosk. [...] Nee, ook al bestaat er een zekere overeenkomst, het is niet dezelfde opwinding die hij voelt wanneer hij overgaat tot wat hij, alleen bij zichzelf, zo beschamend vindt hij het, 'acties' noemt, wanneer hij bijvoorbeeld bij wijze van bijdrage aan de partijkrant een flink percentage van het zakgeld dat hij van zijn moeder krijgt, afstaat aan de oudere broer van een vriend, een nogal onsympathieke student medicijnen die hij amper kent maar al onvoorwaardelijk bewondert omdat hij de trotskistische overtuiging heeft omarmd en, misschien wel net als op een gegeven moment de gemartelde oligarch, heeft gebroken met een welgestelde maar enigszins aan lagerwal geraakte familie, of wanneer hij uit school komt en zijn gebruikelijke vluchtige blik, vol retrospectieve trots en genot, op de zij-ingang van de Fiatfabriek werpt waardoor een van de hoogste bazen van de onderneming, genaamd Salustro, altijd naar binnen ging voordat een ERP-commando hem ontvoerde en in het uiterste westen van Buenos Aires met drie kogels liquideerde, of wanneer hij, wachtend op de bus, nooit op de *otoboes*, om terug te gaan naar huis, met heimelijke bravoure de politieagent uitdaagt die op de hoek van de school op wacht staat, door met zijn roodgloeiende vingertoppen het exemplaar van *Het Communistisch Manifest* te betasten dat hij stiekem in zijn biologieschrift heeft gestopt. Het is meer, veel meer dan dat. Het is zoveel meer dat zodra het tegen achten loopt, hij een dimensie van lichamelijke beklemming betreedt. Hij beeft, zijn mond wordt droog, zijn hart gaat sneller kloppen. Is dat politiek? Is het seks? Het is niet de actie, het is niet alleen de illusie dat hij zich door het tijdschrift te kopen aansluit bij het ondergrondse verzet van de guerrillabeweging Montoneros, een positie waarvan de aantrekkelijkheid, al is die nog zo groot, onherroepelijk vervaagt, steeds als hij ziet hoe de kioskhouder hem *De peronistische zaak* overhandigt met dezelfde schaapachtig onverschillige glimlach als waarmee hij een sportblad, een handwerktijdschrift of het laatste deeltje van een educatieve reeks overhandigt, nee, dat is het niet wat hem zo opwindt en wat hem isoleert in dat koortsachtige microklimaat, tegelijk ongezond en bedwelmend, waarin de geestdriftige gevoelens die hij als kleine jongen ervaart als hij in een van de delen van de encyclopedie *Lo Sé Todo* (Ik weet alles) het beeldverhaal ontdekt van de meest fantastische fases in het lijden van Hercules – Hercules verteerd door het vergiftigde kleed dat Nessus heeft vervaardigd om zich op hem te wreken, Hercules voor altijd brandend op de brandstapel –, nu in hetzelfde potje pruttelen als de gevoelens die de wonderen van de revolutionaire strijd bij hem opwekken – bijvoorbeeld het verhaal van het militaire arsenaal dat bij een commando-operatie wordt buitgemaakt, met het daarbij behorende onvermijdelijke aantal vijandelijke slachtoffers en verliezen, of de politiechef die zijn oude hartstocht voor martelen moet bekopen met het in stukken door de lucht vliegen – en de gevoelens die hem soms doen huiveren als hij 's morgens net doet of hij ziek is om thuis te kunnen blijven en hij vanuit zijn bed de voordeur dicht hoort slaan, een teken dat zowel zijn moeder als de man van zijn moeder vertrokken is en dat er nu geen obstakels meer zijn tussen hem, die sinds hij wakker is op dat teken heeft liggen wachten, en de pornografische blaadjes die de man van zijn moeder in de slaapkamerkast verstopt, tussen de Engelse pullovers die hij daar in hun oorspronkelijke plastic hoezen heeft opgeborgen. Nee, het is niet meer het dichtbij zijn wat het uiterste van zijn krachten vergt. Het is het naderende lezen. En zo verlaat hij als een bliksemschicht het huis, met het idee dat hij niet de buitenwereld betreedt maar een min of meer openbaar verlengstuk van de ongezonde en wellustige oven waarin hij begint te verdampen, op sandalen en in de kleren als van een zwerver die hij 's zomers altijd draagt, wanneer hij de hele dag opgesloten zit in zijn kamer, en in de winter niet warm genoeg gekleed, zonder sokken terwijl zijn pyjamamouwen onder de dunne trui uit komen.

Op een buitengewone dag in de winter komt hij rennend bij de kiosk aan en koopt zijn exemplaar van *De peronistische zaak*, hoewel kopen misschien te veel gezegd is, want in plaats van de klassieke uitwisseling van een product voor geld die de boeken van de trotskistische econoom Ernest Mandel hem tot op de bodem, tot in haar ui-

terste consequenties, willen laten onderzoeken om de vanzelfspre-
kendheid ervan weg te nemen en een eind te maken aan de illusie dat
haar altijd onrechtvaardige voorwaarden onontkoombaar zijn, is er
eerder sprake van de stilzwijgende overeenkomst het tijdschrift op
de gezinsrekening te zetten, waar aan het begin van elke maand het
bedrag voor *De peronistische zaak* – en vaak ook dat voor *Rode ster* of
De strijder, organen van de ERP-pers waarvan hij de verslagen over
de conjunctuur, zo streng en wetenschappelijk dat die in *De peronistische zaak* daarmee vergeleken dromerig klinken als picareske fabel-
tjes, aandachtig en met een nogal moeizaam enthousiasme leest, als
iemand die de beste schriftelijke cursus volgt voor de gewapende
strijd – opgaat in het gestaag oplopende totaalbedrag van de maan-
delijkse afname van ochtendkranten, vrouwenbladen en kleinbur-
gerlijke tijdschriften over actuele kwesties. [...] Vrijwel buiten adem
maakt hij zich los van de kiosk en leunt even tegen de etalageruit van
banketbakkerij San Ignacio, eigenlijk niet zozeer om weer op adem te
komen als wel om nu al, onmiddellijk, te genieten van het leesbanket,
bij het gelige schijnsel op taarten, flessen cider, stapels gebakjes en
bonbondozen in allerlei metaalachtige kleuren. Wat zou hij dát
graag willen, meer dan wat ook ter wereld: dat lezen het enige was
wat alle ruimte van het heden in beslag nam, dat alle dingen die op de
planeet op eenzelfde tijdstip gebeuren op de een of andere manier
eenstemmig opgeslokt werden door de handeling van het lezen. [...]
Het licht van de etalage verspreidt zich eerst over het omslag van het
tijdschrift, met de euforische aankondiging van de dood van een mi-
nister in een bekend restaurant in de buitenwijken, en daarna over
zomaar een dubbele pagina, opengeslagen op het toeval van zijn gre-
tigheid, waar hij stuit op de foto die het bloed in zijn aderen doet
stollen.

Het is in zijn leven de eerste echte vrouw die hij naakt ziet – de
meisjes uit de jaren vijftig op de pokerkaarten tellen niet mee, de met
goudverf beschilderde vrouw die James Bond dood in zijn bed aan-

treft in *Goldfinger* telt niet mee, de danseressen van de Crazy Horse in Parijs die poseren in *Oui* tellen niet mee, de negerin met het geschoren geslachtsdeel in *Penthouse* telt niet mee – en toch, nu hij haar niet alleen naakt ziet maar ook doorzeefd met kogels, onder de modder, alsof ze haar toen ze al dood was, op haar buik hebben voortgesleept over de aarden wal van het militaire detachement waar ze gesneuveld is, aldus het onderschrift bij de foto, en maar vaag te onderscheiden door de slechte kwaliteit van het drukwerk, die haar zou kunnen reduceren tot een van de vele lijken, niet de moeite waard om aandacht aan te schenken, en toch, toch zegt dat gezicht, het gezicht van commandante Silvia, zoals het onderschrift haar noemt, hem iets. Het is iets wat het misschien tegen niemand anders in de wereld kan zeggen, maar het zegt het in een taal die hij nog nooit gehoord heeft en die hij niet verstaat. Nu is hij ertoe veroordeeld te lezen. Al het andere, auto's, voorbijgangers, lichten, sluimert in een soort met sneeuw bedekte winter. Hij leest roerloos bij de etalageruit. Wanneer het winkelmeisje van San Ignacio, inmiddels in haar eigen kleren, de schakelaar van de hoofdverlichting in de winkel omdraait en de bleke tl-buizen aandoet die de etalage de hele nacht zullen blijven verlichten, gaat hij nog wat dichterbij staan, als de dorstige mond bij een druppelende kraan, en drukt het opengeslagen tijdschrift loodrecht tegen het glas, in een poging te profiteren van het laatste restje van dat maanachtige licht dat van de gebakjes, de taarten en de bonbondozen een treurige nabootsing van delicatessen maakt. Hij leest: jeugd in de provincie Tucumán, moeder lerares, vader postbeambte, bezoek van Evita en bewustwording, staatsgreep en val van Perón, ouders gevangengenomen, oom in het verzet, verhuizing naar Buenos Aires, ontmoeting met Cooke, de klassieke biografie van een vrouw die ertoe geroepen is te overwinnen of te sterven – en op een gegeven moment is het licht zo zwak, beginnen de woorden zo te flikkeren dat hij zijn ogen sluit en verder leest zoals hij zich voorstelt dat blinden lezen, de zinnen aftastend met zijn vingertoppen, totdat enkele koele tikjes op de rug van zijn hand, eerst een en dan nog een, en nog een, en nog een, hem dwingen op te houden. Hij doet zijn ogen open. Regent het? Nee: hij huilt. Hij huilt in de stad zoals het regent in zijn hart. [...] Hij ziet het gezicht van commandante Silvia pas veel later weer, in bed, als het metalen geluid van twee stukken gereedschap die tegen elkaar slaan de beeldloze droom waarin hij rondzweeft uiteen doet spatten. Hij wordt wakker en ziet haar op een brute, onmogelijke manier, alsof de slapende vrouw op het schilderij van Füssli zich plotseling heeft opgericht en het beestachtige gezicht van de succubus tussen de twee lappen gordijnstof naar haar ziet kijken, en hij herkent in haar de buurman van de calle Ortega y Gasset, de militair, de man die misbruik van hem heeft gemaakt, in zijn oor heeft gezongen, hem onderdak heeft verleend, in de velletjes van zijn vingers het geheim van zijn pijn heeft gelezen, in zijn slaap zijn eigen snor heeft weggeblazen, de valse snor die ze maandenlang heeft verkozen te dragen om zich, zoals het bericht in *De peronistische zaak* zegt, op de vlucht voor justitie, te trainen in de kunst van het clandestien leven in vijandelijk gebied, de moeilijkste en hoogste kunst waaraan de revolutionaire strijder zich kan wagen. Hij ontdekt op hetzelfde moment wie ze is en dat ze dood is. Weer te laat, veel te laat. Hij vraagt zich af of hij haar had kunnen redden als hij het eerder geweten had, of hij en zijn driewieler en zijn Pan Am-tasje boordevol spullen om de tijd mee te verdrijven, die hij nooit heeft gebruikt en ook nooit zal gebruiken en die hij ten slotte, hij ook, zodra hij binnen is in het appartement van de buurman, als een tijdbom verbergt, hadden kunnen verhinderen dat ze haar met kogels doorzeefden, dat ze haar op haar buik, als het stuk vlees dat ze is, bij wijze van vernedering en waarschuwing voor de gevangenen, voortsleepten over de aarden wal van het militaire detachement. Hij vraagt zich af wat er van hem zou zijn geworden, wat voor leven hij zou leiden, als commandante Silvia hem had aangeraakt, als ze in plaats van zich te beperken tot het aanbieden van de kom soep een hand naar zijn gezicht had gebracht en twee vingers in zijn mond had gestopt, als ze haar tong erin had gestoken en de binnenkant van zijn lippen, het tandvlees, de vlezige wanden van zijn mond onderzoekend had afgetast, als ze in plaats van hem daar zo te laten staan, met spelden tussen zijn lippen en de centimeter om zijn nek, hem had gedwongen een van zijn kinderhandjes tot in de verste, vochtige diepte van haar geslacht te stoppen. [...] Hij huilt niet meer. Hij voelt een droge, rauwe beklemming, alsof een spatel hem vanbinnen uitschraapt. Het is eenvoudig: hij heeft niet geweten wat hij had moeten weten. Hij is niet eigentijds geweest. Hij is niet eigentijds en zal dat ook nooit worden. Wat hij ook doet, wat hij ook denkt, dat is een veroordeling die hij altijd met zich mee zal dragen. Maar nu heeft hij tenminste een bewijsstuk: zijn moeder zal niet meer kunnen beweren dat het voorval met de militaire buurman nooit heeft plaatsgevonden.

Het is al laat. Het huis is het zwijgen opgelegd door de duisternis. Hij staat op van zijn bed, pakt het exemplaar van *De peronistische zaak* en verlaat zijn kamer. Hij loopt door de lange donkere gang die in zijn kindertijd, zoveel angst boezemt die hem in, zijn kamer niet lijkt te scheiden maar uit te sluiten van de wereld. Hoewel hij niet bang meer is, is de methode die hij gebruikt – onder het lopen met zijn handpalmen beide wanden van de gang aanraken – dezelfde die hij op zijn zesde, zevende ontdekt en in praktijk brengt, als de afstand die hij vermoedt tussen zijn kamer en de rest van het huis even groot is als die in sciencefictionfilms tussen de capsule die in de ruimte blijft zweven en het moederschip dat hem zojuist heeft afgestoten. Hij maakt een L, komt bij de kamer van zijn moeder en vindt de deur open. Hij staat nog niet lang open, zoals blijkt uit de frisheid van de lucht die, zonet in beweging gebracht, nog natrilt, en het bordje Niet Storen dat heen en weer zwaait aan de deurkruk, een aandenken aan een hotel en een reis en een geluk die allemaal al zijn opgenomen in de geschiedenis van wat zich niet zal herhalen. Hij klopt toch aan, zwakjes, niet zozeer om zijn moeder te waarschuwen als wel om zijn eigen vermetelheid te rechtvaardigen, en gaat naar binnen. Hij herkent met zijn voeten de zachte stof van een nylonkous, papieren zakdoekjes, een omgekeerd opengeslagen boek, een krakende bril, flesjes met pillen. Hij zoekt op de tast naar de lichtschakelaar, en als hij op het punt staat het licht aan te doen, hoort hij de stem van zijn moeder, een verstikte stem die van heel ver lijkt te komen. 'Ik wil geen licht,' zegt ze. Hij beseft dat ze alleen in bed ligt, gaat op de rand zitten en wacht met het tijdschrift in zijn hand terwijl hij haar in het donker hoort huilen.

NOTEN

Ezeiza: verwijzing naar het bloedbad op 20 juni 1973 op de luchthaven Ezeiza van Buenos Aires, waar de menigte die stond te wachten op de terugkeer van Perón na achttien jaar ballingschap onder vuur werd genomen door scherpschutters.

Joder; vale; camarero; gilipollas: typisch Spaanse uitdrukkingen die in Argentinië niet worden gebruikt (verdomme; oké; ober; lulhannes).